NEUVE-FRANCE

Approuvé par
le Comité catholique du Conseil de l'Instruction publique
le 15 mai 1957.

ALBERT TESSIER, P.D.,
membre de la Société Royale et de la Société des Dix

NEUVE-FRANCE

HISTOIRE DU CANADA

Tome I

(1524-1763)

Troisième édition
(9e mille)

ÉDITIONS DU PÉLICAN

QUÉBEC   1959   CANADA

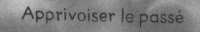

Apprivoiser le passé

On ne connaît que les choses que l'on apprivoise...

Apprivoiser, ça signifie créer des liens...

Tu deviens responsable pour toujours de ce que tu as apprivoisé.

On ne voit bien qu'avec le coeur.

(Saint-Exupéry, Le Petit Prince)

Apprivoiser le passé

« *On ne connaît que les choses que l'on apprivoise* . . .

« *Apprivoiser, ça signifie créer des liens* . . .

« *Tu deviens responsable pour toujours de ce que tu as apprivoisé* . . .

« *On ne voit bien qu'avec le cœur.*

(SAINT-EXUPÉRY, *Le Petit Prince*.)

« *Il faut se faire une âme antique,*
se fermer les yeux et s'ouvrir l'imagination
pour reconstruire un peu cette terrible vie d'autrefois,
vaillante et féconde,
qui accueille toutes les privations
pour que la descendance ait tout le bonheur. »

(Alexandre DUGRÉ, S.J.)

« *Tu deviens responsable pour toujours de ce que tu as apprivoisé.* »

APPRIVOISER le passé. Une tentative passionnante, même si elle semble fantaisiste et très peu scientifique. Et qui peut nous conduire à une vérité plus vivante, moins dogmatique, mais peut-être plus près de la vraie vérité que les conclusions parfois trop absolues des auteurs scientifiques.

Certains historiens, par ailleurs très compétents et très méritants, ne concèdent aucune valeur formatrice à l'histoire « dorée et faussée par l'émotion patriotique ». Est-ce une invitation à la sécheresse systématique, à la froideur imperturbable ? Qui peut se vanter, sans orgueil naïf, de parvenir, en histoire, à la vérité définitive, totale, rigoureusement objective ?

Car il n'y a pas que l'émotion patriotique à redouter. Un collaborateur des *Carnets Viatoriens* le rappelait, non sans humour, dans la livraison de janvier 1954 : « . . . je me méfie beaucoup de l'esprit scientifique, et de la candeur scientifique, et de l'émotion scientifique. Et j'estime que la vérité vraie peut fort bien être filiale et patriotique, et même un peu dorée de légende et de poésie . . . J'admire même un fils qui ferme les yeux sur les défauts de sa mère et qui les ouvre tout grands sur ses qualités. Ce n'est pas scientifique, mais ce n'est pas non plus tout à fait contraire à la *science* et à la *vérité*. »

Le même écrivain rappelle fort justement qu'il est deux sortes de vérités : « l'une qui se réfère à l'intelligence, faculté froide ; l'autre qui se réfère au cœur, faculté de vie ».

J'essaierai, dans ce traité d'histoire canadienne, d'évoquer les temps anciens avec mon cœur et ma sensibilité autant qu'avec ma raison. L'histoire humaine ne se dissèque pas comme un cadavre. Elle comporte trop d'éléments pour qu'il soit possible de la saisir en son entier, même lorsqu'on a compulsé des milliers de documents. Il reste toujours à deviner ce qui se cache entre les lignes, derrière les lignes et dans le secret impénétrable des intentions et des vouloirs libres.

* * *

Même en y mettant notre intelligence, notre cœur, notre imagination, notre sensibilité, il n'est pas facile de reconstituer le passé. Les points de repère nous manquent. Nous sommes si loin des hommes qui, courageusement et patiemment, ont transformé le Canada sauvage en terre humanisée. Pour comprendre ce qu'est la fatigue, l'épuisement, la soif, la faim, l'inquiétude, il faut y avoir goûté. Or nous vivons dans un monde où l'effort physique, l'insécurité, l'isolement, la peur, l'aventure sont presque totalement abolis. Notre civilisation presse-bouton utilise comme en se jouant les forces et les richesses de l'univers. Un simple geste, un coup de pouce sur un commutateur, et immédiatement nous disposons à notre gré des merveilles du monde : l'eau, la lumière, la chaleur, la force motrice, les voix et les images de la terre en attendant celles des autres astres. Nous manque-t-il un bibelot, un médicament, un article de ménage, des vivres ? Le téléphone ou la poste nous les procurent sans que nous ayons à attendre ni à nous déranger. L'automobile, les autobus, le chemin de fer, les paquebots, l'avion ont aboli la distance et le temps.

Nous avons oublié les époques où tout était obstacle et opposition, les époques au cours desquelles la nature et les éléments se dressaient comme des forces adverses en face de l'être chétif et désarmé qui tentait de les asservir. Comment imaginer ce qu'il a fallu de courage, de patience, de résistance physique et morale, pour implanter, dans un monde hérissé de forêts et peuplé de barbares, une France vivace dont les rameaux se déployèrent sur tout le continent nord-américain ?

Si nous voulons apprivoiser le passé, l'incorporer à notre vie comme un ferment, il faut nous faire une âme neuve, mettre en jeu nos puissances d'évocation, essayer de nous mêler à la foule anonyme des ancêtres, recommencer avec eux la conquête pathétique du sol et des forces de la nature, revivre à leurs côtés les phases successives de leur existence, à l'église, au foyer, au travail, en voyage.

* * *

Tous ceux qui sont venus en Amérique ont dû accepter, comme premier sacrifice, la traversée de l'océan.   Pour nous, un voyage en mer prend figure d'excursion alléchante.   Il en allait autrement à l'époque des voiliers.   Nous ne pouvons comprendre la qualité d'âme de nos ancêtres si nous n'essayons pas de les suivre dans cette première étape.   Il fallait autrefois, pour affronter l'océan, un courage dépassant la commune mesure.   Les aventuriers de la mer, audacieux, durs à la misère, y trouvaient une joie excitante, mais il en était autrement pour les terriens, les paysans, les chefs de famille, les femmes et les enfants. Pour eux, le voyage était un véritable martyre.

Il faut s'en souvenir tout au long de l'histoire canadienne.   Les conditions de vie en mer ne se sont vraiment adoucies qu'à partir de la deuxième moitié du XIXᵉ siècle, alors que la vapeur remplaça graduellement la voile.

Ceux qui s'embarquaient pour l'Amérique savaient qu'ils « allaient à péril de mort ».   Aussi chacun se confessait, communiait, rédigeait son testament.

Le voyage durait de six à douze semaines.   Les navires étaient petits, trapus, malodorants, dépourvus de tout confort.   On n'y trouvait ni cabines, ni toilettes, ni lavabos ; aucun chauffage ni éclairage.   La cale était encombrée de tonneaux d'eau douce, de biscuits de marin, de cidre et de vin, ainsi que de barriques de farine, de lard salé, de pois secs.   Le pont était réservé aux matelots et à l'équipement :

Voici, à l'échelle, une comparaison éloquente entre un voilier du XVIIᵉ siècle et un paquebot moderne.

câbles d'ancres, cordages de mâture, ancres, chaînes, mâts de rechange, plaques de plomb, goudron, étoupe, etc.

Les passagers logeaient dans l'entrepont, bas de plafond, mal aéré, pauvrement éclairé par les sabords et par l'écoutille, ouvertures qu'il fallait fermer hermétiquement lorsque la mer était méchante. Alors l'obscurité et la puanteur transformaient l'abri en prison infecte, dont les passagers n'étaient libérés qu'une fois le calme revenu.

Le Père Biard, en route vers l'Acadie, en 1610, exprime ainsi ses doléances : « Naviguer en ce trajet de la Nouvelle France, si dangereux et si aspre, principalement en petits vaisseaux et mal munitionnez, est un sommaire de toutes les misères de la vie. Nous n'avions repos ni jour ni nuict. Si nous pensions prendre nostre réfection, nostre plat subitement eschappoit contre la tête de quelqu'un ; un autre tomboit sour nous, et nous contre quelque coffre, et tourneboulions avec d'autres pareillement renversez ; nostre tasse se versoit sur nostre lict, et le bidon dans nostre seing, ou bien un coup de mer mandoit nostre plat. »

Une compagne de Marie de l'Incarnation, Sœur Cécile de Sainte-Croix, relate à son tour quelques-unes de ses expériences maritimes, au cours de la traversée de 1639 : « Nous eûmes une furieuse tempête qui dura quinze jours avec fort peut d'intervalle . . . ; le vaisseau était tellement agité durant tout ce temps qu'il était impossible de se tenir debout, ni faire le moindre pas sans être appuyée, ni même assise sans se tenir à quelque chose, ou bien on se trouvait incontinent roulé à l'autre bout de la Chambre. On était contraint de prendre les repas à platte terre et tenir un plat à trois ou quatre, et même ainsi on avait peine de l'empêcher de verser. »

Les conditions ne s'améliorèrent que très peu avec les années. En 1734, le P. Nau se plaint du local où logent les voyageurs : « C'est une chambre grande comme la Rhétorique de Bordeaux, où l'on voit suspendus en double rang des cadres qui devaient servir de lit aux passagers, aux passa-

« *Nous eumes une furieuse tempête qui dura quinze jours.* »

gères, aux officiers inférieurs et aux canonniers.   Nous étions pressés dans ce lieu obscur et infect comme des sardines dans une barrique.   Nous ne pouvions nous rendre à nos lits sans nous heurter vingt fois la tête et les jambes.   La bienséance ne nous permettait pas de nous déshabiller. Nos habits, à la longue, nous brisaient les reins.   Le roulis démontait nos cadres et les mêlait les uns les autres. »

Par brise normale, la situation était moins pénible. Les sabords et l'écoutille laissaient entrer un peu de lumière et d'air marin ; on pouvait aussi monter sur le pont, causer, scruter l'infini de la mer, vers la France ou vers l'Amérique, selon le cours des regrets ou des espoirs.

Outre les réunions joyeuses, les chants et parfois les rondes, le pont était souvent animé par des cérémonies religieuses, messe, sermon, procession.

Les accalmies prolongées étaient rares.   La brise d'ailleurs était désirée, car, par calme plat, le navire s'immobilisait, prolongeant la traversée.   Les voiliers, trapus, ronds de quille, roulaient et dansaient, même par beau temps. Cette instabilité bouleversait les estomacs.   La mauvaise qualité des mets et les torsions du roulis et du tangage rendaient la digestion pénible.   La plupart des voyageurs étaient torturés par le mal de mer.   Diéreville s'en plaint avec humour : « Aussi je me sentais épuisé, toujours rendre et ne rien prendre, cela ne soutient point du tout les forces. »

La gaieté des marins maintenait le moral des voyageurs : « Dans cette affreuse tourmente, j'admirais le courage de tous les matelots.   Parfois ils étaient renversés et ballottés comme une balle de plume d'un bord à l'autre du pont. Tout cela ne faisait qu'exciter des éclats de rire qui faisaient autant de bruit que les coups de mer. »   (Diéreville)

Les menus manquaient de saveur et de variété.   Les provisions apportées par les voyageurs s'épuisaient vite et il fallait alors adopter le régime commun : pois secs, haricots, poisson fumé, salaisons, biscuit de matelot.   Ce biscuit, « soumis dans les soutes à la chaleur et à l'humidité combinées, se gâtait pourtant moins que les autres provisions. N'ayant pas le choix, on mangeait avec appétit, mais de préférence la nuit, pour ne pas voir les vers et sentir moins la pourriture. »

Les santés les plus robustes résistaient mal à pareil régime. La dysenterie, le scorbut, la furonculose, la fièvre putride, exerçaient leurs ravages parmi les voyageurs. Pour sa part, Pierre Boucher verra mourir, au cours de la traversée de l'été de 1662, soixante des cent colons qu'il amenait en Nouvelle-France. Soixante morts lentes, angoissantes ; soixante corps se décomposant, tombant en pourriture, jetés un à un à la mer. Quelle effroyable atmosphère suggère cette macabre évocation.

Dans son récit de voyage de 1685, Mgr de Saint-Vallier relate, comme un événement presque normal, la mort de 150 hommes et de deux des neuf prêtres qui l'accompagnaient :

« Deux des prêtres qu'on avait embarqués avec cinq cents soldats qui passaient avec nous, furent les plus heureux de tous ; car outre les exercices de piété qu'ils firent faire à l'équipage et aux passagers, comme on le faisait dans les autres navires où nous étions, il plut à Dieu de leur fournir une nouvelle matière de zèle, par la maladie qui se mit dans les troupes, et qui enleva cent cinquante hommes. (...) L'un des prêtres mourut dans le vaisseau peu de temps avant qu'il touchât au port, et l'autre languit encore quelques jours après être arrivé à Québec. »

Le facétieux La Hontan trouve moyen de plaisanter sur pareil thème : « Au reste nous agîmes fort honnêtement avec le peuple des morues qui habite en ces quartiers-là (Terre-Neuve) ; car s'il nous envoya de quoi faire bonne chère en maigre, nous lui servîmes le corps d'un capitaine et de plusieurs soldats morts du scorbut et à qui nous ne pouvions donner d'autre sépulture que la mer. »

L'arrivée en vue de Terre-Neuve mettait le vaisseau en joie ; des réjouissances bouffonnes marquaient cet événement et chacun devait payer son écot au Bonhomme

Grand Banc. Tous les passagers capables de monter sur le pont sentaient le besoin de remuer, de rire, de se détendre.

La perspective de manger enfin de la nourriture fraîche augmentait l'allégresse générale. Dès que les morues consentaient à mordre, plus rien ne comptait . . . pas même les sermons : « Le jour de la Pentecôte, comme j'étais près de prêcher, ce que je faisais ordinairement les dimanches et bonnes fêtes, un de nos matelots se mit à crier : molue, molue ! Il avait jeté sa ligne et en tirait une grande. Il y avait déjà quelques jours que nous étions sur le banc, mais on n'avait quasi rien pris. Ce jour-là on en prit tant qu'on voulut. C'était plaisir de voir une si grande tuerie et tant de sang répandu sur le tillac de notre navire. Ce rafraîchissement nous vint fort à propos, après de si longues bourrasques. » (R. P. Lejeune, s.j.)

En approchant des côtes, on pouvait se rendre à terre en barque, se gorger d'eau fraîche, se rafraîchir et se débarbouiller, ce qui n'était pas un luxe après des semaines passées sans pouvoir se laver faute de savon et d'eau douce. La cueillette des fruits sauvages et la chasse au gibier à poil ou à plumes apportaient des suppléments au menu quotidien.

L'inconnu de la vie neuve qui s'ouvrait, la perspective de prendre pied sur la terre ferme, réveillaient la confiance. Le cauchemar semblait fini et on oubliait les autres misères qu'il faudrait affronter.

* * *

Ces misères, nous devons aussi nous les rappeler en pensant au Canada primitif. Un pays immense couvert de forêts, où on ne peut pénétrer que par les rivières et les lacs, sans autre moyen de transport que des canots d'écorce ou de lourdes chaloupes de bois fabriquées sur place.

Le défrichement, la culture, la construction des demeures primitives, s'exécutent à main d'hommes. Les muscles seront, durant une trop longue période, la seule force disponible, l'unique énergie motrice. Les premiers chevaux n'arriveront qu'en 1665.

Les maisons sont meublées sommairement, mal chauffées, mal éclairées. Elles sont souvent éloignées les unes
des autres. On y éprouve une sensation déprimante de
solitude, d'impuissance devant des forces qui dépassent la
mesure humaine. Durant six mois, on est coupé de toutes
communications avec la France. La glace et la neige
étreignent la terre, étouffent la vie végétale. Malgré tout
on tient bon. Ces pénibles conditions n'entament pas le
moral, ne tuent pas la bonne humeur.

Beaucoup d'années passeront avant que se modifient
sensiblement les conditions matérielles d'existence, de
travail, de voyage. Chaque avance, chaque victoire sur la
nature sera payée d'incroyables sacrifices, des sacrifices
de tous les instants auxquels on finit par s'habituer parce que,
à ce régime inhumain, on devient héroïque sans le savoir.
Notre histoire primitive commande l'admiration. Pas la
peine d'inventer des exploits fabuleux pour embellir le
passé ; la vie ordinaire, celle de tous les jours, suffit quand
on la replace dans son cadre réel.

* * *

Essayons sérieusement de nous faire une âme antique et
efforçons-nous de nous incorporer au passé, de le ressusciter
avec sa couleur, son atmosphère, ses personnages. Cette
compénétration quasi physique établira une soudure, nouera
des liens entre nous et ceux qui ont peiné et souffert pour
nous. À travers les siècles, les âmes se rejoindront, frater-
niseront. Nos ancêtres ne seront plus des personnages
flous, déformés, inaccessibles. Ils nous apparaîtront comme
des êtres vivants, avec leurs ambitions, leurs projets, leurs
déceptions, leurs espoirs, leurs réussites, leurs échecs.

Des silhouettes familières, des héros classés émergent
de la masse. Les manuels d'histoire nous ont appris leurs
hauts faits. Peut-être, au sujet de quelques-uns d'entre
eux, conviendrait-il de reviser nos jugements. Le rôle de
certains a été amplifié de façon excessive alors que l'action

« Honorons-les toutes, aimons-les toutes, ces oubliées . . . »

de personnages moins en vedette demeurait trop dans
l'ombre. Nous devons surtout nous pencher avec bienveillance sur la masse anonyme des tâcherons obscurs dont
la vie méritoire s'est déroulée sans éclat. Ils ont peiné
au jour le jour, agrandissant peu à peu le morceau de terre
défrichée où s'élevait leur maisonnette, fondant des foyers,
construisant des palissades, pagayant vers tous les points
de l'immense Amérique. Ces conquérants pacifiques de
la glèbe nourricière, ces dompteurs prestigieux de la terre,
des eaux, des espaces infinis, ont accompli les plus authentiques exploits de notre histoire. Ils n'étaient pas des sur-
hommes, mais ils donnaient leur pleine mesure d'homme à
une époque et dans des circonstances où cette mesure exigeait
de l'héroïsme quotidien.

Il faut, dans cette phalange de constructeurs, accorder
aux femmes la part qui leur revient. Elle est immense.
Dès le début, elles sont à leur poste, courageuses, opiniâtres,
dévouées. « Les femmes, a dit la romancière américaine

Willa Cather, ont le sens du dévouement, c'est, chez elles, une grâce naturelle ; elles n'ont qu'à apprendre à quoi l'appliquer.   Les hommes, eux, ont tout à apprendre. »

Les occasions de se dépenser au profit des autres n'ont jamais manqué aux Canadiennes de tous les temps.   Elles ont magnifiquement répondu aux exigences de chaque époque. Dommage que nos historiens les aient trop souvent laissées dans l'ombre.   Il faut le regretter avec Dom Jamet : « Les femmes ne paraissent guère dans ce tableau ...   Toutes ont vraiment soutenu le choc de la guerre et de la misère. C'étaient peut-être des âmes communes avant leur venue au pays.   La souffrance courageusement affrontée les avait trempées dans ses eaux brûlantes pour des tâches sublimes malgré leur obscurité.   Elles auraient pu se reprendre, fuir une vie qui s'était imposée à elles avec des exigences surhumaines.   On avait vu des hommes se dégoûter des sacrifices journaliers, regagner Québec et la France.   Ce pays déshérité de toutes les commodités, où elles étaient venues dans la fleur de leurs ans, leur avait fait certainement horreur dans ses débuts ; elles n'étaient point retournées en arrière, mais se faisant une raison et mortifiant leurs inclinations elles avaient fini par l'aimer et l'adopter.   C'était elles qui, sans le savoir, faisaient l'admiration, à Paris, de M. Vincent. »

Quelques-unes de ces *opiniâtres* ont laissé leur nom à l'histoire, mais l'immense majorité est restée anonyme. Honorons-les toutes, aimons-les toutes, ces oubliées, ces méconnues, qui ont formé et forgé la race, qui ont servi les abandonnés, soigné les malades, éclairé les intelligences, trempé les volontés, orienté les cœurs.

UN MONDE NOUVEAU

★ En 1492, Christophe Colomb découvre sans s'en douter un continent inconnu, cinq fois grand comme l'Europe. L'histoire du monde s'en trouve complètement modifiée.

★ Au cours des siècles, trois grandes civilisations s'implanteront dans le continent neuf : l'*ibérique*, l'*anglo-saxonne* et la *française*.

En cherchant l'Orient
on trouve les Amériques...

(*1418-1492*)   Les Européens du xvᵉ siècle débutant ignoraient l'existence du continent américain.   Les découvreurs portugais et espagnols cherchaient surtout des routes nouvelles vers l'Orient.   La magie des terres gorgées d'or et de pierreries, des îles parfumées d'épices et d'aromates, des peuples producteurs de soieries et de tissus chatoyants, soulevait les convoitises et allumait les curiosités des chercheurs d'aventures.

L'Orient !   Ce mot englobait tous les pays asiatiques : la Chine, qu'on appelait le Cathay ; le Japon, *alias* Zipangu ; les Indes opulentes et toutes les îles plantureuses de la mer d'Asie.

La course à l'Orient débuta vers 1418, sous l'impulsion d'Henri le Navigateur.   Cette poursuite se continuera durant des siècles, mais nous nous en tiendrons surtout à la période qui se clôt avec la découverte de l'Amérique.

*La forme et les dimensions du continent révélé par Colomb resteront longtemps imprécises.
Les premiers cartographes plaçaient le Japon tout près du Mexique.*

COLOMB TROUVE L'AMÉRIQUE

SI on avait dit à Colomb, en 1492, qu'il venait de découvrir l'Amérique, il eût été d'humeur noire. L'Orient seul l'intéressait et il était certain d'avoir atteint les Indes. C'est pourquoi les indigènes des Amériques sont aujourd'hui encore appelés Indiens et non Américains.

Mais pourquoi les Amériques ne s'appellent-elles pas les Colombies ? Leur découvreur aurait mérité de leur laisser son nom, même s'il persista jusqu'à sa mort dans une erreur bien explicable, étant donné l'état des connaissances géographiques à cette époque.

Peut-être parce que le voyageur florentin Améric Vespuce avait un meilleur sens de la propagande. Le premier, semble-t-il, Améric Vespuce employa le mot *Mundus Novus*. En 1507, un géographe allemand suggéra de désigner le Nouveau-Monde sous le nom d'*Amérige* ou d'*America*. Le géographe hollandais Mercator donna suite à cette suggestion. Sa carte de 1541 sépare pour la première fois le *Mundus Novus* de l'Asie et le désigne sous le nom d'America. « Le Génois visionnaire et le Florentin lucide peuvent, tout de même, se donner la main. Christophe Colomb reste le découvreur de l'Amérique et Vespuce son explicateur. » (Jean Descola)

La méprise de Colomb n'enlève rien à son mérite. Les cartes du Moyen-Âge situaient l'Asie à quelques 3,000 milles de l'Europe, c'est-à-dire à la distance des terres découvertes en 1492. L'explorateur avait donc de bons arguments à l'appui de ses prétentions. De plus, toute sa vie s'était centrée sur cet objectif : aller aux Indes par l'ouest. Il était dur d'admettre un échec après tant d'efforts et de sacrifices. D'autre part, l'Espagne acceptait avec tellement de satisfaction la bonne nouvelle qu'il n'était pas opportun de gâter son bonheur par des doutes insuffisamment fondés.

À ce moment de l'histoire, une ère de faste se termine pour les républiques de Venise et de Gênes ainsi que pour les autres villes du littoral méditerranéen. L'axe du monde occidental se déplace : l'Atlantique supplante la Méditerranée.

Les pays baignés par l'Atlantique se lancent fiévreusement à la recherche de voies nouvelles pour accéder aux sources des indispensables produits orientaux.

L'ENVOÛTEMENT ORIENTAL

Depuis les expéditions retentissantes des frères Polo, commerçants de Venise, l'Orient était devenu le pourvoyeur des articles et des produits les plus recherchés par l'Europe : tissus, soieries, épices, aromates, gomme arabique, diamants, saphirs, émeraudes, rubis, etc.

Des caravanes de chameaux amenaient les précieuses marchandises aux ports de la Méditerranée ; des flottes vénitiennes ou génoises les transportaient de là aux comptoirs, où on les revendait aux négociants de l'intérieur. Le commerce des pierres et des étoffes précieuses, du poivre, du gingembre, de la cannelle, etc., rapportait gros et les républiques italiennes, qui en détenaient le monopole, dominaient la vie économique et politique de l'Europe.

Avec les années, des rivalités commerciales et religieuses gênèrent sérieusement la libre entrée des produits orientaux. Les fils de Mahomet, qui avaient le sens des affaires, imposèrent graduellement des contrôles sur les principales voies d'accès et exigèrent d'onéreux droits de passage. Avec la prise de Constantinople, en 1453, les communications se trouvèrent complètement coupées. L'Europe se mit en quête de voies nouvelles.

LE PORTUGAL S'ÉLANCE LE PREMIER

Le plus petit pays d'Europe, le Portugal, s'ébranlera le premier. Il sera aussi le premier arrivant, après quatre-vingts ans de patience entêtée (1418-1498).

Il n'avait pas attendu la prise de Constantinople pour s'inquiéter. Un prince de sang royal, Henri le Navigateur, constatait avec angoisse les progrès de l'étau musulman. Il sentait que l'Europe courait à

I.C.P.P.

Henri le navigateur, le « père de toutes les découvertes maritimes ».

l'étranglement, si elle ne parvenait à changer l'axe de ses relations internationales.

Après avoir guerroyé contre les Musulmans en Afrique, l'infant Henri se fixa dans une sorte de nid d'aigle, à l'extrême pointe sud du Portugal. Sur un rocher désertique dominant la mer, il établit un centre de recherches qui devint le rendez-vous des spécialistes d'Europe les plus réputés en astronomie, cartographie, géographie, navigation, construction de navires, etc. . . . Inspirant et animant cette équipe, dom Henri s'attaqua à l'exploration du mystérieux monde africain dont on ignorait la forme et l'étendue. Jamais il ne navigua lui-même, bien qu'on lui ait donné le surnom de Navigateur. De son promontoire, il lançait et soutenait, par sa confiance imperturbable et sa ténacité, les expéditions chargées de pousser leurs découvertes toujours plus loin vers le sud, en longeant la côte africaine.

Les terreurs superstitieuses des équipages paralysaient les efforts de l'Infant. Les marins étaient persuadés qu'au-delà de la pointe avancée du Cap Bojador les voiliers sombreraient « dans une mer bouillonnante, toute grouillante de serpents et de monstres apocalyptiques ; l'air lui-même y passait pour être empoisonné. »

Patiemment, Henri le Navigateur remontait le moral de ses hommes, calmait leurs appréhensions, les renvoyait à l'assaut. Après quinze ans de tentatives répétées, l'obstacle du Bojador fut franchi (1433). Personne ne fut carbonisé ni dévoré. Les explorations continuèrent. Douze ans plus tard, 1455, les Portugais avaient exploré et jalonné 1 300 milles de côte africaine. Dom Henri ne verra pas la victoire espérée. Il mourut en 1460, alors qu'il tentait de recruter des hommes pour reprendre les croisades contre les Turcs.

Mais l'élan donné par le « père de toutes les découvertes maritimes » se poursuivra et conduira les vaisseaux portugais jusqu'aux Indes. L'exploit fut accompli par Vasco de Gama, en 1498. Le voyage aller retour dura deux ans. Une route libre, passant par l'extrémité sud de l'Afrique, était ouverte vers l'Orient, mais elle était d'une longueur désespérante.

Elle permettra toutefois au minuscule Portugal de créer un empire aux proportions imposantes, mais d'une durée éphémère. L'hégémonie mondiale des Portugais croulera en 1580.

Isabelle la Catholique.

L'ESPAGNE FAIT CONFIANCE À COLOMB

L'Espagne, sœur siamoise du Portugal, était trop occupée à combattre les Maures sur son territoire pour entreprendre elle-même des expéditions maritimes. Elle surveillait toutefois l'avance des caravelles portugaises. La prise de Grenade, en 1492, lui rendit son indépendance. Les souverains, Ferdinand et Isabelle, purent dès lors s'intéresser aux découvertes lointaines.

Depuis quelque temps, un étranger originaire de Gênes, Christophe Colomb, se vantait de pouvoir atteindre l'Asie en lui tournant le dos. Autrement dit, il proposait de filer vers l'ouest pour arriver plus vite à l'est. Sa théorie rencontrait peu d'adeptes, mais il la soutenait avec tellement de conviction que des personnages importants s'en faisaient les défenseurs. Si, au lieu d'être un disque plat comme on le croyait communément, la terre était ronde, les prétentions de Christophe Colomb étaient justes.

La reine Isabelle se laissa séduire par les perspectives qu'ouvrait à l'Espagne le projet de Colomb. Ordre fut donné aux marins de Palos de former les équipages des trois navires qui tenteraient l'aventure : la *Santa María*, la *Niña* et la *Pinta*. Le 3 août 1492, les trois caravelles, toutes voiles gonflées, prenaient le large. Et Colomb ouvrait son livre de bord par ces mots de foi : *In nomine Domini Jesu Christi*.

Après quarante-trois jours de navigation, la terre apparut aux yeux émerveillés des marins. Tous, Colomb en tête, se crurent aux Indes. Le 4 janvier 1493, après avoir abandonné la *Santa María*, Colomb prit le chemin du retour. Il fut accueilli triomphalement à Palos, le 15 mars. La Cour et le peuple le fêtèrent avec un débordement tumultueux d'enthousiasme. « Sa popularité, note Charcot, dura cinq mois et dix jours. » Les intrigues et les déceptions qui suivirent lui révélèrent la fragilité de la gloire humaine. Colomb mourra en 1506, injustement oublié et méprisé. L'histoire impartiale l'a réhabilité.

MAGELLAN CONTOURNE L'OBSTACLE

En 1498, l'heureuse issue de l'expédition de Vasco de Gama porta un dur coup à l'Espagne. On s'était rendu compte que les terres découvertes par Colomb n'étaient pas les Indes. Les Portugais avaient gagné la course, mais l'Espagne n'abandonna pas la poursuite.

Il importait de contourner le continent américain qui bloquait le passage. Un marin portugais, Magellan, offrit à Charles-Quint en 1519, de doubler l'extrémité sud du Nouveau-Monde et d'aller par là jusqu'au Indes. L'empereur lui confia le commandement de cinq navires. Deux mois après le départ, la flottille côtoyait le Brésil et poursuivait son avance vers le sud. Magellan hiverna en route et reprit sa course dès le retour du printemps 1520. À la mi-octobre ses vaisseaux s'engagèrent dans un couloir bordé de hauts rochers et balayé par les vents. Il prit cinq semaines à franchir les 360 milles du détroit qui porte aujourd'hui son nom. À la fin de novembre 1520, Magellan débouchait à l'ouest, sur les eaux de l'Océan Pacifique. L'obstacle était contourné et le passage vers l'Orient largement ouvert.

La tâche n'était pas achevée   Il restait 8 000 milles à parcourir avant d'atteindre l'objectif. Cette étape fut la plus dure. Trois mois durant, les vaisseaux voguèrent sur des eaux trop calmes, trop vides. On ne rencontra les premières îles d'Asie qu'au mois de mars 1521. Magellan avait tenu sa promesse. Il eut tort de trop s'attarder et surtout de se mêler des affaires indigènes. Il fut tué au cours d'un engagement, le 17 avril 1521. Sebastián del Cano prit charge de l'expédition et continua la course en passant par le sud de l'Afrique.

Le 6 septembre 1521, les restes de l'expédition rentraient en Espagne après avoir accompli, en trois ans, la première circumnavigation terrestre. Des cinq vaisseaux, un seul avait tenu le coup : *La Victoire.* Sur 265 marins et officiers engagés au départ, Sebastián del Cano ne ramenait que 18 survivants.

Était-ce payer trop cher la glorieuse aventure ? Pour la première fois, un navire avait fait le tour de la terre, démontrant expérimentalement sa sphéricité. Du brutal point de vue économique, les résultats étaient bons, car le minuscule voilier survivant rapportait assez d'épices et de richesses orientales pour rembourser largement les armateurs. À condition de ne pas évaluer trop cher les 240 vies sacrifiées.

La course à l'Orient.

Routes portugaise, espagnole, hollandaise, anglaise.

Charles-Quint ennoblit señor del Cano et meubla ses armoiries de « deux bâtons de cannelle, trois noix de muscade et trois clous de girofle ». Les épices recevaient leurs lettres de noblesse !

La voie ouverte par Magellan était plus longue que celle des Portugais. Les Espagnols l'utilisèrent, mais de façon modérée. Il y avait des richesses fabuleuses dans cette Amérique qui les avait d'abord déçus. Le Mexique et le Pérou, habités par des peuples d'une civilisation raffinée, regorgeaient d'or et d'argent. Fernando Cortès subjugua le Mexique (1519-21) et Francisco Pizarro, le Pérou (1524). Pendant plus d'un demi-siècle, l'Espagne alimenta ses finances publiques à même les trésors du Mexique et du Pérou ; toute-puissante en Europe et dans l'univers, elle connaîtra le sort des peuples trop riches. En 1596, elle sera acculée à la banqueroute.

À LA RECHERCHE DE CHEMINS PLUS COURTS

Les conquêtes du Portugal et de l'Espagne avaient inquiété les autres pays atlantiques. Ils voyaient d'un mauvais œil leur indépendance économique et nationale menacée par ces peuples subitement enrichis.

Il restait un moyen : trouver un chemin plus court et plus commode que les routes sud-Afrique et sud-Amérique. Pourquoi ne pas tenter d'atteindre l'Orient en contournant le nord de l'Europe ou de l'Amérique ? L'Angleterre et la Hollande misèrent sur le nord puisqu'elles avaient été devancées au sud.

On ignorait la forme et l'étendue des extrémités septentrionales de l'Europe et de l'Amérique. On ignorait également que les mers arctiques étaient presque continuellement bloquées par les glaces. Les Anglais chargèrent d'abord Jean Cabot d'aller voir s'il était possible de passer par l'Amérique ? Mal équipé, l'explorateur atteignit quand même le Nouveau-Monde, longea le littoral en quête d'une ouverture, toucha probablement Terre-Neuve, mais revint bredouille (1497).

Rebutée du côté américain, l'Angleterre se tourna vers le nord de l'Europe. De 1553 à 1580, des expéditions successives cherchèrent vainement à s'y frayer un chemin vers l'Asie.

L'Angleterre est obstinée. Elle reprit ses recherches en direction du Nouveau-Monde. À partir de 1576, ses marins entreprirent l'examen méthodique des côtes nord-américaines. Il y mirent un courage et une persévérance que nous devons admirer. Frobisher, Davis, Hudson, Baffin, fouillèrent le littoral, explorant les baies, scrutant les côtes rocheuses. Toujours sans résultat. Ces marins intrépides allèrent très loin vers le nord, jusqu'au 77° de latitude, aux portes de l'Arctique.

À partir de 1524, la France s'intéressera elle aussi au Nouveau-Monde.

HENRY HUDSON

En 1609, la Hollande entra en scène à son tour et retint les services d'un marin anglais, Henry Hudson. Celui-ci opta pour une exploration moins nordique et il découvrit la rivière qui porte son nom et à l'embouchure de laquelle les Hollandais bâtiront New-Amsterdam, aujourd'hui New-York.

Flairant une rivalité dangereuse, l'Angleterre repêcha le transfuge Hudson et le chargea d'une autre mission de recherche. En 1611, Hudson pénétra dans le long détroit qui porte son nom et s'engagea dans la mer intérieure appelée aujourd'hui baie d'Hudson. On prit l'habitude, très tôt, de désigner cette nappe d'eau de 800 milles par 500 sous le nom plus exact de mer du Nord.

Hudson mérite une mention très spéciale dans l'histoire. Il a révélé à l'Europe deux des grandes portes donnant accès au cœur du continent : la rivière et la baie d'Hudson.

Nous savons aujourd'hui que les raccourcis ou passages, cherchés aussi obstinément n'existaient pas. La barrière des Amériques était sans fissure. Pour unir les deux océans, l'Atlantique et le Pacifique, il faudra des procédés artificiels : les chemins de fer transcontinentaux et le canal de Panama (1913). Le passage par l'Arctique, ce fameux « passage du Nord-Ouest », si longtemps cherché par l'Angleterre à partir des expéditions de Cabot, ne sera franchi qu'en 1903-1906, par l'explorateur Amundsen.

La recherche d'un raccourci Europe-Orient amena la fondation de colonies : *hollandaise* à l'embouchure de la rivière Hudson, colonie

Les portes de l'Amérique : baie d'Hudson, Saint-Laurent, rivière Hudson, Mississipi.

qui sera absorbée par l'Angleterre en 1664 ; *anglaise* sur le littoral de l'Atlantique ; *française* en Acadie et au Saint-Laurent.

UNE FORTERESSE GARNIE DE MURAILLES

Pour l'intelligence de l'histoire, il est utile d'examiner un moment la configuration physique de l'Amérique du nord, qui forme un bloc compact de 3 000 milles par 2 500, soit 7 500 000 milles carrés.

En étudiant le relief nord-américain, un premier trait nous frappe : l'Amérique du nord est bordée dans presque tout son contour par des montagnes qui se dressent comme des murailles et constituent des obstacles à la pénétration humaine.

La forteresse Amérique est heureusement percée de portes naturelles. On en discerne quatre principales :

1° Au nord, *le détroit et la mer d'Hudson* s'ouvrent comme un portail géant, donnant accès à une douzaine de rivières que les canots peuvent remonter très loin vers le sud, l'ouest et le nord;

2° Au centre, *l'entrée royale du Saint-Laurent*, clef de tout un réseau de rivières et de lacs conduisant jusqu'au cœur du continent et permettant d'atteindre les sources du Mississipi et les tributaires de la mer d'Hudson;

3° Au sud du Saint-Laurent, la *rivière Hudson* ouvre un couloir commode vers les sources du Richelieu ou vers les tributaires menant à la chaîne des Grands Lacs, d'où on rayonne vers le nord, l'ouest, ou le sud;

4° Enfin, à l'extrémité méridionale, une frontière sans montagnes est coupée par le *large estuaire du Mississipi*, imposante avenue offrant une route conduisant jusqu'au centre de l'Amérique, à proximité du lac Michigan et du merveilleux système routier du Saint-Laurent.

Cette configuration de l'Amérique a exercé une influence considérable sur l'histoire canadienne. Les rivières et les lacs ont été longtemps les seules routes utilisées. Presque tous les établissements du Nouveau-Monde ont été fixés en fonction de leur situation stratégique le long des fleuves et au carrefour des chemins d'eau.

On comprend alors que ceux qui contrôlaient les portes d'entrée étaient les maîtres du pays, à condition de le vouloir sérieusement.

Il fut un temps où la France maîtrisait les trois entrées majeures : le Saint-Laurent, la baie d'Hudson et le Mississipi. Son empire couvrait alors les quatre-cinquièmes de l'Amérique du nord. Les Anglais, après avoir supplanté les Hollandais, contrôlèrent l'entrée secondaire qu'est la rivière Hudson. Ils s'établiront ensuite fortement à la baie d'Hudson, puis ils s'assureront la maîtrise du golfe Saint-Laurent. Plus nombreux, mieux soutenus, plus tenaces, ils supplanteront finalement la France.

NEUVE-FRANCE

NEUVE-FRANCE et CANADA ne sont pas synonymes, au moins dans l'acception actuelle de ces termes. À l'époque de Cartier, le mot CANADA s'appliquait à un tout petit territoire situé sur le Saint-Laurent. Depuis 1867, le CANADA s'étend de l'Atlantique au Pacifique, avec une frontière sud qui le sépare des États-Unis.

La NEUVE-FRANCE de François Ier, de Verrazzano, de Champlain, de Talon et de Frontenac, couvrit, à un moment donné, la presque totalité de l'Amérique du Nord.

I

TÂTONNEMENTS
1524-1632

★ *Explorations :*

1524-1527. Verrazzano.
1534-1541. Jacques Cartier.

★ *Établissements :*

1605. Port-Royal.
1608. Québec.

★ *Recrues :*

1615. Récollets.
1617. Famille Hébert.
1625. Jésuites.

(*1524-1632*) De 1524 — date de la première intervention officielle de la France en Amérique, — à 1632, alors que Neuve-France repart avec l'appui de Richelieu, notre histoire se résume à bien peu. La France met du temps à prendre au sérieux sa mission civilisatrice. Avec ses quinze millions d'habitants, elle était pourtant la première puissance d'Europe.

Samuel de Champlain force la main à la fille aînée de l'Église. C'est lui qui appelle les missionnaires récollets et jésuites ; c'est lui qui décide la famille Hébert à s'établir au Canada en permanence. Après avoir discuté, plaidé, argumenté, déjoué les intrigues des marchands, il a la consolation de voir la Nouvelle-France en bonne marche.

Au cours de ce siècle d'hésitations, la colonie ne toucha jamais le chiffre fort modeste de cent habitants. De 1608 à 1631, on n'enregistra que trois mariages et huit naissances.

Jacques Cartier révéla à la France des terres à humaniser et des âmes païennes à convertir.

P. Gandon

LA FRANCE

LA France était la première puissance de l'Europe du XVIᵉ siècle. Pourquoi s'est-elle laissée devancer par ses voisins plus faibles ? L'histoire offre ses explications. Tout d'abord, la France avait subi la pénible Guerre de Cent ans, réglée finalement par la miraculeuse intervention de Jeanne d'Arc. Elle avait été dominée ensuite par Louis XI, soucieux de fortifier le pouvoir central aux dépens des féodaux trop ambitieux. Avec Charles VIII et Louis XII, elle s'était lancée dans les prestigieuses et ruineuses guerres d'Italie qui avaient absorbé toute son attention.

Ces extravagances continuèrent sous François Iᵉʳ, jaloux de la richesse espagnole et des ambitions impériales de Charles-Quint. Les cargaisons d'or des colonies d'Amérique assuraient à Charles-Quint une supériorité militaire et politique que la France ne pouvait ébranler. François Iᵉʳ crut bon, en contrepartie, d'envoyer des émissaires revendiquer la part de la France dans « l'héritage d'Adam ».

Jean Verrazzano, originaire de Florence, est chargé d'une mission officielle en 1524. L'année suivante, François Iᵉʳ, vaincu à Pavie, goûte aux cachots espagnols. Il en sort d'assez méchante humeur et renvoie Verrazzano vers le Nouveau-Monde, avec mission de découvrir des sources de revenus qui lui permettront une revanche sur son trop riche rival.

L'explorateur ne trouva aucun trésor ni passage vers l'Orient, mais il fit un relevé des côtes et il cartographia à la française le Nouveau-Monde qu'il dénomma *Nova-Gallia*, en attendant que Ramusio en fît la *Nova-Francia*. La France fondera plus tard ses prétentions sur les découvertes de Verrazzano lorsqu'elle donnera à la Compagnie des Cent-Associés toute l'Amérique du nord, du Pôle à la Floride (1627).

L'année suivante, la Paix de Cambrai amène une détente. Deux ans plus tard, François Iᵉʳ proclame la liberté des mers contre les prétentions espagnoles. Enfin, en 1532, la Bretagne est rattachée au

Royaume de France. Le vent est à l'optimisme et favorise les projets d'expansion et les rêves de grandeur. Le roi humaniste remet en question un examen plus approfondi du Nouveau-Monde.

Cette fois son choix se porta sur un marin de Saint-Malo, Jacques Cartier. Le pilote malouin connaissait bien la mer. D'autre part, les pays d'outre-Atlantique ne lui étaient pas inconnus, car il semble bien qu'il avait accompagné Verrazzano dans ses trois expéditions.

JACQUES CARTIER PLANTE DES CROIX

Les intentions royales ne dépassent pas encore le niveau des intérêts matériels. Cartier devra « voyager, découvrir et conquérir à *Neuve-France*, ainsi que trouver par le Nord le passage au Cathay ». Un ordre royal du 12 mars 1534 porte : « Vous paierez 6 000 livres au pilote Jacques Cartier, qui va aux Terres Neuves découvrir certaines îles et pays où l'on dit qu'il se doit trouver grand quantité d'or. »

Parti de Saint-Malo le 20 avril 1534, Cartier touche Terre-Neuve vingt jours après ; un record de rapidité pour l'époque. Il est en pays familier et fréquenté. Des centaines de morutiers européens croisent sur les bancs terreneuviens. Sans s'attarder, Cartier continue. Il contourne Terre-Neuve, franchit le détroit de Belle-Isle et touche à la côte nord où il plante une croix. Au lieu de poursuivre sa marche vers l'ouest, il oblique vers le sud, passe en vue de l'île actuelle du Prince-Édouard, et s'approche de la côte qu'il explore à distance, tout en remontant vers le nord. Devant la large échancrure de la baie des Chaleurs, il éprouve un moment de joie. Serait-ce un « passage » vers l'Orient ? L'illusion dure peu. Il continue d'examiner le littoral. Au fond d'une baie profonde de la pointe gaspésienne, un promontoire hérissé d'arbres domine la mer. Un bel endroit pour arborer un signe de possession. Ce sera la croix, aux armes de France, qui se dressera comme une affirmation et une espérance dans la splendeur d'une rutilante journée d'été, le 24 juillet 1534.

Ce geste accompli, Cartier appareille pour la France. Il suit la même route qu'à l'arrivée. Le 5 septembre, il est de retour à Saint-Malo. Il n'a découvert ni or ni route vers l'Orient, mais il est bien décidé à reprendre au plus tôt ses recherches.

J. D. Kelly

Jacques Cartier contemple le roc de Stadaconé, 1535.

CARTIER REMONTE LE FLEUVE

Revenu les mains vides, Jacques Cartier, fervent et enthousiaste, presse François Ier de le renvoyer au Canada. En 1535, nouvelle expédition. Sans perdre ni jour ni heure, le marin remonte le fleuve, s'arrête un moment à Stadaconé (Québec), où les Indiens essaient de contrecarrer ses plans de montée vers Hochelaga (Montréal). Sans se laisser impressionner par les rivalités Stadaconé-Hochelaga, — rivalités qui auront la vie dure, — le navigateur poursuit sa marche. Il est accueilli avec de grands déploiements de confiante et naïve admiration ; au sommet du Mont-Royal, il fouille l'horizon vers l'ouest. Le mystère reste entier. D'autre part, il ne décèle aucun signe de richesse : les Naturels sont vêtus sommairement et portent peu de bijoux ; leurs armes et leurs outils d'os ou de pierre polie sont d'une confection maladroite.

Au retour, Cartier s'arrête, le 7 octobre, à l'embouchure de la rivière de Fouez (Saint-Maurice), y plante une haute croix, puis continue vers Stadaconé, où il établit ses quartiers.

L'hivernement fut atroce. Mal nourris, insuffisamment défendus contre le froid, les hommes furent presque tous atteints du scorbut, ou « mal de terre », qui en tua vingt-cinq sur un total de cent dix. Dès la fonte des glaces, Jacques Cartier prit en hâte la direction de Saint-Malo.

Pour la seconde fois, il revenait sans avoir trouvé ce que désirait le roi. D'ailleurs, François Ier était de nouveau aux prises avec Charles-Quint dont les troupes avaient envahi la Provence (1536). Ce n'était pas le moment de présenter des rapports décevants, ni surtout de soumettre d'autres projets. Cartier insistera quand même pour retourner au Nouveau-Monde.

LE PREMIER ESSAI DE COLONISATION

Pourtant Cartier avait mille raisons de s'abstenir. La preuve semblait faite que le Canada ne rapporterait rien à la France. Et l'expérience de l'hivernement n'inclinait pas à l'optimisme. Mais Cartier avait pris en particulière estime la terre canadienne, « la plus belle terre et la meilleure qui soit au monde, . . . bien fructiférante et pleine de moult beaux arbres ». La candeur des indigènes l'avait conquis. Il avait oublié l'objectif utilitaire de ses expéditions pour s'élever à des conceptions plus hautes, plus dignes de la France, fille aînée de l'Église.

Après la trêve de Nice, 1538, le moment parut favorable à Cartier. Il présenta au roi une pétition appuyée de considérations morales et spirituelles. Même s'il n'y a ni or ni épices en Amérique, les terres et les âmes sont des richesses auxquelles la France ne peut rester indifférente. François Ier prêta une oreille bienveillante et donna ordre de mettre en train une organisation sérieuse en vue d'un établissement outre-mer. Roberval en sera le chef. Il ne valait pas Jacques Cartier, qui, relégué au second plan, reste quand même le principal animateur.

Le 23 mai 1541, Cartier prend la mer avec cinq vaisseaux portant 276 mariniers, artisans, laboureurs et soldats. On apporte des provisions pour trois ans, preuve qu'il ne s'agit plus d'un simple voyage d'exploration. Les bateaux ressemblent à une arche de Noé : on y a entassé « vingt vaches vives, quatre thoureaulx, cent brebis et moutons . . . et avec ce vingt chevault et juments . . . aussi utils à labourer la terre et vingt hommes laboureurs ».

La traversée dura trois mois. Le 23 août 1541, les voyageurs, fatigués et ahuris, atteignirent Québec. Cartier choisit comme emplacement un terrain situé à neuf milles plus haut, là où se trouve aujourd'hui le village de Cap-Rouge. Le poste s'appellera Charlesbourg-Royal. Une fois les travaux bien en marche, Cartier organisa une exploration préparatoire à un voyage au « Royaume du Saguenay » dont lui ont parlé les Indiens. À son retour, il trouva les Sauvages fort mal disposés et le groupe passa l'hiver en état d'alerte.

Au printemps, le commandant n'attendit pas l'arrivée de son chef Roberval. En fouillant le sable de la grève, il avait déterré des « feuilles d'or fin aussi épaisses que l'ongle » et des pierres « qui luisaient comme si c'étaient des étincelles de feu ». Cette découverte l'éblouit. Il remplit dix barriques de feuilles d'or et de pierres luisantes et se hâta de faire voile vers la France.

Entre-temps, Roberval, conduisant deux cents recrues tirées en bonne partie des prisons, arrive à son tour au fort abandonné de Charlesbourg-Royal. Il le rebaptise France-Roy, et, un coup en train, il change également le nom du fleuve, qu'il appelle France-Prime. Deux noms qui ne vivront pas longtemps. La petite troupe bigarrée, où se trouvent quelques femmes, est paresseuse, indocile, imprévoyante. Au cours de l'hiver le scorbut fait une cinquantaine de victimes. À l'été 1543 les débris de l'expédition Roberval sont rapatriés.

Roberval et Cartier avaient enregistré un fiasco. Les feuilles d'or n'étaient que du mica et les pierres étincelantes, de pauvres morceaux de pyrite de fer. Les alchimistes dissipèrent brutalement les illusions du Malouin. De ce généreux effort de colonisation, il ne subsista, dans le public, qu'un proverbe désobligeant : « *Faux comme diamants du Canada.* » À nous, il resta quelque chose de plus prestigieux : le nom donné au cap Diamant.

SOIXANTE ANNÉES D'ABANDON

(1543-1603)

Fránçois Ier mourut en 1547. Ses successeurs ne le valaient pas. Les Français, bretteurs et belliqueux, oublièrent le mirage oriental et les larges horizons offerts à leur esprit d'aventure. Les polémiques religieuses vont bientôt opposer catholiques et calvinistes. Des années de haine et de sang pèseront lourdement sur la France déchirée.

En attendant que le ciel s'éclaircisse, les croix plantées par Cartier montent silencieusement la garde. Elles règnent sur les rochers gris de la côte nord du Canada sauvage ; à la pointe de Gaspé, face à la mer ; à Stadaconé et en bordure des terres sablonneuses du Saint-Maurice. Elles inscrivent dans le ciel leurs bras tendus comme un appel et une promesse.

Si la France officielle abandonne le pays, les Français, eux, continuent de visiter le golfe et le fleuve. La morue, toujours en grande demande, les attire et leur procure d'alléchants revenus. Une autre marchandise américaine, la fourrure, est en train, la mode aidant, de concurrencer les soieries et les parures d'Orient.   Les peaux de bêtes feront plus que tous les arguments pour ramener la France en Amérique.   Dieu s'en servira pour ouvrir les voies aux vocations missionnaires et susciter des entreprises colonisatrices.

En 1593, Henri de Navarre, devenu Henri IV, abjure le protestantisme.   Sa conversion est sincère.   Large d'esprit, débonnaire, habile à manier les hommes, il pacifie le royaume.   En 1598, il signe avec l'Espagne le traité de Vervins et, par l'Édit de Nantes, met fin aux guerres de religion.

La France sort épurée de la tourmente.   Les âmes, trempées par l'épreuve, sont ouvertes à d'authentiques poussées de mysticisme.   Le siècle s'annonce grand.

Le projet de colonisation et d'évangélisation ébauché par Cartier revient à la surface.   Samuel de Champlain va le reprendre, lui donner de l'aile.   Henri IV avait l'esprit assez fin, l'imagination assez puissante, pour saisir la grandeur de la tâche offerte à la France en Amérique.   Malheureusement le trésor royal souffrait d'anémie et la vision courte du prudent Sully ne dépassait pas les frontières du Royaume.

Il restait une solution, utilisée ailleurs : tirer parti des rivalités commerciales.   En retour d'un monopole de traite, le roi obligera les marchands ainsi favorisés à transporter des colons, avec obligation de les établir et de leur assurer les services de la religion.   C'était un pis aller dont il fallut se contenter jusqu'en 1663.

À toutes les époques, les spéculateurs sont imperméables aux courants spirituels.   Confinés dans leurs horizons, ils ne peuvent s'arracher à la servitude des affaires, du commerce, des profits.   Les commerçants, banquiers, trafiquants et corsaires du XVIIe siècle français, n'échappaient pas à la règle.   Ils s'intéressèrent au Nouveau-Monde dans la mesure où leurs intérêts y trouvaient pâture.   La volonté royale les força à collaborer avec les rêveurs d'apostolat et les bâtisseurs d'empire.   Ils le firent avec une mauvaise volonté permanente ; très souvent ils se mirent en travers d'entreprises qui ne servaient pas leurs intérêts.

Le premier à reprendre les expéditions canadiennes fut un catholique, le marquis de la Roche (1598).   La tentative rata.   Un calviniste, Pierre de Chauvin, prit la succession.   Il établit un poste

de traite à Tadoussac en 1600, mais il n'amena aucun colon bien que son privilège de traite comportât, pour la première fois, l'obligation d'en établir un certain nombre.

Dans la suite, tous les permis de commerce des fourrures imposeront aux bénéficiaires la charge de transporter et d'installer des colons en Nouvelle-France. Cette clause sera peu respectée, hélas !

CHAMPLAIN PARAÎT

Le sieur de Chastes obtient un privilège commercial à la mort de Chauvin (1603). Samuel de Champlain, désigné par Henri IV, participe à la première expédition. On lui confie la charge d'explorer le Saint-Laurent, de Gaspé à Montréal. Son journal de voyage fourmille de détails sur le pays et ses ressources, ainsi que sur les coutumes et croyances des Indiens. Comme Cartier, Champlain est enthousiasmé par ce qu'il voit.

À Tadoussac, le 27 mai 1603, il festoie avec les Sauvages et il leur demande, au nom de la France, la permission de s'établir dans leur pays. Le chef accueille favorablement la requête, affirmant « qu'il était fort aise que Sa Majesté peuplât leur terre et fît la guerre à leurs ennemis et qu'il n'y avait nation au monde à qui ils voulussent plus de bien qu'aux Français. »

De Tadoussac, Champlain remonte lentement le fleuve. Il examine les rivières qui s'y déchargent et il note fidèlement les détails susceptibles d'intéresser ses chefs. On peut s'attendre à trouver, sous la plume de ce géographe employé par des commerçants de fourrures, beaucoup d'annotations sur les facilités de ravitaillement et d'échanges de pelleteries. Il n'en est rien. Champlain s'attarde sur la végétation, les plantes, les fruits, les produits divers de la terre. On croirait lire un rapport destiné à des agriculteurs.

Les annotations agricoles abondent : « Toute cette terre est noire et fort tendre ; si elle était bien cultivée, elle serait de bon rapport. (...) La dite terre est très bonne et la plus plaisante que nous ayons encore vue. (...) un pays uni et beau, où il y a de bonnes terres pleines d'arbres ... qui fait qu'à mon opinion, si elles étaient cultivées, elles seraient bonnes comme les nôtres (...). Je vis quantité d'îles, lesquelles sont fort fertiles en fruits, comme vignes, noix, noisettes . . . fraises, framboises, groseilles rouges, vertes et bleues, avec force petits fruits qui y croissent parmi grande quantité d'herbages. »

Trois-Rivières est le seul endroit où Champlain parle d'un établissement possible. Il signale, à l'embouchure de la rivière, six îles « fort plaisantes et fertiles. (. . .) Ce serait à mon jugement un lieu propre à habiter et pourrait-on le fortifier promptement. (. . .) Le dict lieu des Trois-Rivières est un *passage* et l'habitation des Trois-Rivières serait un bien pour la liberté de quelques nations qui n'osent venir par là, à cause des Iroquois, leurs ennemis. »

En septembre 1603, Champlain est de retour en France. M. de Chastes est mort depuis quelques mois et le voyageur présente son rapport directement à Henri IV qui s'en montre fort satisfait.

PREMIER POSTE FRANÇAIS

Champlain aurait voulu retourner au Saint-Laurent mais le nouveau détenteur du privilège royal, Pierre de Monts, préférait les régions plus tempérées et plus accessibles du littoral atlantique. La traversée de France en Acadie était plus courte d'au moins trois semaines que celle de la France à Québec et la route se trouvait libre toute l'année, alors que, par le fleuve, elle était fermée par les glaces durant cinq ou six mois. En 1604, c'est donc vers la côte de l'Atlantique que se dirigèrent les deux vaisseaux de M. de Monts. Champlain se plia aux volontés du commandant.

Cette fois, c'est la côte américaine que le géographe explora et décrivit avec la même conscience ; il s'avança vers le sud jusqu'à une petite distance de la rivière Hudson, que la Hollande découvrira cinq ans plus tard.

M. de Monts avait choisi l'île Sainte-Croix comme site de son établissement. L'hiver hâtif prit les colons par surprise dès le mois d'octobre. Les mois d'hivernement furent lugubres : 35 personnes sur 79 moururent du scorbut. Des renforts arrivèrent de France en juin 1605 et on décida de se transporter en un lieu plus favorable : Port-Royal. Champlain y passa un deuxième hiver très dur, endeuillé de douze décès dus au scorbut. Malgré ces pénibles débuts, l'établissement de Port-Royal tiendra bon jusqu'à nos jours.

Samuel de Champlain fait rapport à Henri IV de son exploration du Saint-Laurent (1603).

Sur le site du « premier poste européen au nord du golfe du Mexique », un monument rappelle le souvenir de Pierre de Monts.

LE PITTORESQUE MARC LESCARBOT

Dans les contingents de 1604 et 1605, catholiques et protestants étaient mêlés.   Il en résulta des disputes et des pugilats peu édifiants. À partir de 1606, on n'admettra que des catholiques sur les vaisseaux. En plus de Champlain, déjà familier, Poutrincourt amena deux nouveaux venus qui deviendront des fervents de l'évangélisation et de la colonisation au Canada : Louis Hébert et Marc Lescarbot.   Nous retrouverons Louis Hébert à Québec, en 1617.   Quant à Lescarbot, il se donnera de tout cœur à la propagande missionnaire en Acadie et auprès des Français.

Marc Lescarbot, avocat, poète, écrivain, était un personnage amusant.   Enjoué, fertile en trouvailles, bon vivant, il était capable de dérider les plus moroses.   Il excellait dans les fêtes de l'Ordre de Bon Temps, institué par Champlain pour maintenir le moral et la santé des hivernants de Port-Royal (1606-07).   Lescarbot écrivit, durant son séjour au Port-Royal, *Le théâtre de Neptune en la Nouvelle-France*, ce qui lui donne droit au titre de premier dramaturge au Canada.

Mais, il y a plus et mieux dans cette personnalité aux multiples facettes : son feu apostolique.   Avant le départ de France, Marc Lescarbot avait tenté, sans y réussir, d'amener un prêtre.   Il avait alors prié qu'on lui permît d'apporter des hosties consacrées pour les distribuer aux colons et même aux sauvages.   Cette faveur lui fut refusée et il s'en montra marri.

À Port-Royal, Lescarbot suppléa de son mieux à l'absence de prêtre ; il se fit prédicateur et chef de prière, « donnant quelques heures de mon industrie à enseigner chrétiennement notre petit peuple, pour ne vivre en bêtes, » et pour donner exemple de notre façon de vivre aux sauvages . . . »

Marc Lescarbot retourna dans son pays en 1607.   Il n'avait passé que quelques mois en Nouvelle-France, mais ce pays vierge hantera longtemps son esprit.   En 1608, il adressa au pape Paul V une supplique en faveur des missions, « œuvre vraiement chrétienne et pleinement divine ». Il publia en 1609 une *Histoire de la Nouvelle-France*, à la fois chronique savoureuse et plaidoyer véhément. Il y suppliait ses compatriotes de « dilater les bornes de leur piété, justice et civilité, pour évangéliser tant de créatures raisonnables formées à l'image de Dieu ».

Le roi Henry, influencé par le père Coton, son confesseur, favorisait l'envoi de jésuites au Canada. Lescarbot n'aimait pas les Jésuites et il n'était pas homme à changer ses dispositions, même quand elles ne coïncidaient pas avec celles du roi. Les vingt et un baptêmes indiens conférés par l'abbé Jesse de Fléché en vingt et un jours exactement (1610-11), lui inspirèrent le thème d'un plaidoyer assez vif. Il y prônait l'envoi de prêtres disant qu'il n'est pas besoin, outre-mer, de ces « docteurs sublimes qui peuvent être plus utiles par deçà à combattre les vices et les hérésies ». Il regrettait que « l'Église, qui possède tant de biens », et « les Grands qui font tant de dépenses superflues » restent passifs et ne « financent rien pour l'exécution d'une si sainte œuvre ».

Lescarbot aurait mieux servi l'Église et les Indiens en se montrant moins absolu.

Le 14 mai 1610, Henri IV tomba sous les coups du fanatique Ravaillac, laissant comme successeur un enfant de neuf ans, Louis XIII. La veuve, Marie de Médicis, est nommée régente. Elle entend respecter les volontés du défunt roi à l'égard de l'Acadie : des jésuites s'y rendront ! La reine verse elle-même une somme de cinq cents écus et les dames de la Cour, stimulées par ce geste, montrent beaucoup de zèle pour une cause si hautement cotée. La marquise de Verneuil et Mᵐᵉ de Sourdis fournissent les vases sacrés et les ornements sacerdotaux ; la marquise de Guercheville anime cette pieuse équipe.

QUAND LES FEMMES S'EN MÊLENT

Antoinette de Pons, marquise de Guercheville, avait alors quarante ans. Elle jouissait d'un grand crédit à la Cour. On respectait sa vertu aimable, on admirait son dynamisme. Les missions d'Acadie devinrent un sujet de conversation courante dans les salons. Les deux jésuites désignés pour l'Acadie, les pères Biard et Massé, se trouvèrent du coup fort populaires.

Mais cette popularité n'empêcha point les adversaires de créer des embarras. Parmi les bailleurs de fonds se trouvaient deux calvinistes, Duchesne et Desjardins. Ils refusèrent le passage aux jésuites. Le sang de la bouillante marquise de Guercheville ne fit qu'un tour. « Nous allons bien voir, dit-elle, si ces petits mercadants outrecuidés vont empêcher nos protégés de partir ! »

Elle mena une vive campagne et recueillit quatre mille livres qui lui permirent de racheter la mise de fonds des calvinistes récalcitrants. Elle commit l'imprudence d'inscrire les deux jésuites comme actionnaires. Les esprits malveillants en prirent prétexte pour les accuser de participation à des entreprises commerciales.

Le 22 mai 1611, les pères Biard et Massé arrivèrent à Port-Royal. Ils y furent accueillis avec méfiance ; on entrava leur action. La marquise bondit d'indignation. Les souscriptions continuaient d'affluer et elle se sentait capable de jouer le rôle de propriétaire et de « Mère de l'Église » du pays acadien. Elle obtint cession de tous les droits sur les terres comprises entre les 40e et 60e degrés, à l'exception du territoire de Port-Royal et, en 1613, elle équipa un navire, où prirent place deux autres jésuites, le père Quentin et le frère Gilbert de Thet. Le vaisseau fit escale à Port-Royal, y prit les pères Biard et Massé, puis fila vers Saint-Sauveur, lieu choisi pour un nouvel établissement. Le poste était trop rapproché de la Nouvelle-Angleterre. Un pirate virginien, Samuel Argall, en prit ombrage. Au cours de cette même année 1613, il rasa tout, Port-Royal compris, pour faire bonne mesure. C'était le coup de grâce. Les missions acadiennes furent abandonnées.

Après son rapatriement, le père Biard publia une *Relation* (1615) dans laquelle il exposa l'urgence d'un mouvement de propagande religieuse en Amérique. Quant au père Massé, nommé au collège de La Flèche, il prépara la relève et entretint dans la célèbre institution jésuite un climat d'enthousiasme pour les missions canadiennes.

RETOUR DE CHAMPLAIN

Depuis l'exploration de 1603, Champlain désirait revenir au Saint-Laurent. Le fleuve lui semblait la voie idéale pour percer les secrets du continent et pour découvrir peut-être un passage vers l'Orient. Son ami de Port-Royal, Lescarbot, connaissait ses espérances secrètes ; il y fait allusion dans ces vers :

> Car d'un fleuve infini tu cherches l'origine
> Afin qu'en l'avenir y faisant ton séjour
> Tu nous fasses par là parvenir à la Chine.

La vallée laurentienne l'attirait aussi par la fécondité de son sol et par les facilités d'établissement qu'elle offrait.

Champlain pensait également à l'évangélisation des sauvages. Il n'était pas un idéaliste perdu dans des songes, ni un réalisateur déterminé à une fin unique. Il savait que tout se tient dans la vie, que le spirituel et le matériel doivent s'épauler mutuellement, mais que, si on veut atteindre aux grandes réalisations, le spirituel doit primer partout.

FONDATION DE QUÉBEC

Les événements vinrent à son secours. Dépossédé de ses droits sur l'Acadie, M. de Monts avait dû rapatrier ses gens en 1607. L'année suivante, il obtint un permis de traite sur le Saint-Laurent et il pria son ami Champlain d'y représenter ses intérêts. Au début de juillet 1608, M. de Champlain est à Québec avec un groupe d'artisans et de commis de traite. Au pied du cap Diamant, en bordure du fleuve, il fait construire une habitation qui servira de magasin, de résidence et de forteresse. Cette maison fortifiée abritera surtout les employés des Compagnies de commerce. Champlain y séjournera rarement et pas longtemps à la fois. L'homme ne tient pas en place ; il va partout où il sait trouver des Indiens, se lie d'amitié avec eux, esquisse des traités d'alliance, leur promet l'appui de la France. Avec eux, dans leurs inconfortables canots d'écorce, il parcourt le pays, étudie les rivières, seules voies de pénétration vers l'intérieur.

En 1609, il explore le Richelieu jusqu'au lac Champlain et il remporte une victoire facile sur les Iroquois. À l'automne, on le trouve à Fontainebleau, chez le roi qu'il informe des affaires canadiennes et des projets qu'il caresse. L'année suivante, 1610, il retraverse l'océan, préside à des échanges de fourrures et à des conciliabules

Champlain érige l'Abitation de Québec, 1608.

avec les Indiens réunis aux Trois-Rivières ; il participe, sur le Richelieu, à un deuxième combat où il est blessé par les flèches iroquoises.
Rentré en France à l'automne, il y épouse, le 29 décembre 1610, une
jeune calviniste de douze ans, Hélène Boullé. La jeune femme
apporte à son mari quadragénaire une dot de 6 000 livres.

En mars 1611, de nouveau en route pour le Canada. Le rendez-
vous avec les Indiens est à Montréal. Champlain y séjourne un mois
et demi, recueille des renseignements sur les régions de l'intérieur,
confie Étienne Brûlé et Nicolas du Vignau à ses amis les Hurons-
Algonquins qui les initieront à la vie des bois, puis il se rembarque pour
la France où il lui faut constamment déjouer les jeux de coulisse des
trafiquants. Il y restera une année entière, puis, en 1613, retraversera
de nouveau l'océan, remontera le Saint-Laurent et l'Outaouais jusqu'à
l'île aux Allumettes. D'année en année, il pousse toujours plus loin,
selon un plan méthodique. Il est maintenant en état de parler avec
compétence du bassin du Saint-Laurent et des vallées tributaires, le
Saguenay, le Saint-Maurice, le Richelieu et l'Outaouais. Ses mémoires
à la Cour et aux Compagnies de marchands prennent de plus en plus
de précision.

Tout en sauvegardant les intérêts du commerce des peaux de
bêtes, il entend faire de la Nouvelle-France autre chose qu'un simple
marché de fourrures. Ses ambitions sont d'un autre ordre. Il veut
planter dans le sol de la jeune Amérique un rejeton vivace de la France.

LES FILS DE SAINT FRANÇOIS

Pour faire œuvre durable, il faut des bases solides. « Les affaires
du pays ne peuvent venir à quelque perfection ou avancement, si
premièrement Dieu n'est servi ». Les défricheurs d'âmes d'abord.
Un ami lui conseille de faire appel aux Récollets. Champlain, heureusement, ne partage pas les préjugés de son ami Lescarbot contre les
communautés religieuses.

À cette époque, les Récollets jouissaient d'une réputation extra-
ordinaire dans l'univers entier. Quelques-uns des leurs avaient
cueilli la palme du martyre au Japon en 1597 ; l'Amérique espagnole
retentissait de leurs exploits apostoliques. On comptait leurs conver-
sions par centaines de milliers.

La requête de Champlain fut bien accueillie. Mais où trouver les ressources matérielles ? La Compagnie des Marchands accepta de payer les frais de voyage, de logement et d'entretien de quatre missionnaires. Pressentis par Champlain, en 1614, les cardinaux et évêques de France, réunis en assemblée d'États-Généraux, approuvèrent le projet et offrirent un don de 1 500 livres.

Champlain s'embarqua sur le *Saint-Étienne* avec quatre précieuses recrues, le 24 avril 1615 : les pères Denys Jamet, Joseph Le Caron, Jean Dolbeau et le frère Pacifique Duplessis. Dès l'arrivée à Québec, au début de juin, les religieux se mirent au travail. Les pères Jamet et Le Caron montèrent vers Montréal, afin d'y rencontrer les sauvages rassemblés pour la traite. Le père Dolbeau et Pacifique Duplessis construisirent une maison de fortune ainsi qu'une chapelle temporaire. La messe y fut célébrée solennellement pour la première fois, le 25 juin. La veille, à la rivière des Prairies, Denys Jamet, assisté du père Le Caron, avait officié dans un coin de forêt, en présence de Champlain, de plusieurs Indiens et de quelques Français. Quelques semaines plus tard, le 12 août, le père Le Caron, déjà rendu en Huronie, à 900 milles de Québec, offrit à son tour le saint sacrifice.

Cette trinité de messes ouvrait en splendeur la vie liturgique du Nouveau-Monde. Champlain et le père Le Caron hivernèrent dans les villages hurons. Ils revinrent à l'été 1616. Durant leur absence, le père Jean Dolbeau s'était rendu dans la région de Tadoussac, alors que le père Denys Jamet et le frère Pacifique Duplessis avaient exercé leur ministère charitable à Québec et aux environs. Tous avaient payé largement de leur personne sans avoir remporté beaucoup de succès. Ils se trouvaient au moins en mesure de fixer un plan de campagne pour l'avenir.

PREMIÈRE ASSEMBLÉE DÉLIBÉRANTE
DE L'ÉGLISE DU CANADA

À leur arrivée à Québec, en 1616, Champlain et le père Le Caron tinrent conseil avec deux autres récollets et six personnes « des mieux intentionnées pour le bien du pays ».

On reconnaît que les Indiens seront lents à se convertir. Ils avaient paru dociles au premier abord, mais, vus de plus près, ils prennent un autre visage. Leur conversion exigera beaucoup de patience. Le pays est immense et le climat rude ; les Indiens semblent aussi infixables que les bêtes des forêts.

Après avoir délibéré, les membres déterminèrent un programme qui pouvait se ramener à quatre points : établir au plus tôt des villages français au Saint-Laurent ; essayer ensuite de fixer quelques bandes de nomades ; bâtir un séminaire pour les Indiens ; éliminer les Protestants.

L'essentiel d'une saine politique coloniable se trouvait condensé dans ces quatre suggestions. Sans perdre un moment, Champlain et les pères Denys Jamet et Le Caron cinglèrent vers Paris. Ils y arrivèrent à la mi-septembre. S'ils espéraient faire triompher leurs vues du premier coup, ils furent désabusés. Les marchands se montrèrent polis et évasifs. L'humanisation des Indiens ne les intéressait pas, la culture du sol non plus ; enfin ils acceptaient mal l'exclusion des Protestants. Rien à gagner sur ce terrain. Pas plus de chance du côté de la Cour.

LE PREMIER MÉNAGE CANADIEN

Champlain et les Récollets n'abandonnèrent pas pour autant leur projet d'amener des recrues en Nouvelle-France. Pas des oiseaux de passage comme les commis et employés de traite, mais des Français décidés à choisir le Canada pour patrie.

Le recrutement n'était pas facile. Sauf les marins de carrière, personne n'aimait affronter l'océan. D'autre part, le Canada était mal connu, et pas favorablement. Enfin, les marchands s'opposaient au défrichement et à la culture du sol. Ils y voyaient un danger pour le commerce des pelleteries.

Jusque-là, un seul ménage s'était risqué à venir au Saint-Laurent, celui de Marguerite Vienne. La courageuse femme n'eut pas le temps de s'acclimater. Sagard relate que, le 15 juillet 1616, « le P. Dolbeau donna pour la première fois l'Extrême-Onction à une femme nommée Marguerite Vienne, qui était arrivée la même année dans le Canada avec son mari, *pensant s'y habituer*. (. . .) Elle mourut la nuit du 19 et fut enterrée sur le soir avec les cérémonies de la Sainte Église. »

« PENSANT S'Y HABITUER » . . .

La première famille à çhoisir le Canada pour « s'y habituer » sera celle de Louis Hébert, un ami de Champlain et son compagnon en Acadie. Il partageait les vues apostoliques du fondateur de Québec. Comme il l'affirmera peu de temps avant sa mort, en 1627, il consentit à repasser les mers « pour venir secourir les sauvages plutôt que pour aucun intérêt particulier. » Son épouse, Marie Rollet, se montra aussi généreuse. Ils s'embarquèrent avec leurs trois enfants : Anne, Guillemette et Guillaume. Ils avaient accepté de souffrir et ils furent bien servis. Leur navire fut deux mois en mer et maintes fois on crut qu'il allait sombrer. Au cours d'une des pires alertes, « la femme du Sieur Hébert . . . éleva ses deux enfants (Guillemette et Guillaume) par les coutils pour recevoir la bénédiction qu'un chacun implorait. » Mais Dieu veillait ; le vaisseau aborda heureusement à Tadoussac le 14 juin 1617.

La compagnie des Marchands avait promis au premier colon canadien dix arpents de terre vierge. Ce n'était pourtant pas l'espace qui manquait. Rendu sur place, Hébert vit cette mesquine concession réduite à cinq arpents et il constata avec douleur, mais sans surprise, que les pires adversaires de sa généreuse entreprise seraient ses compatriotes. Les tracasseries prirent toutes les formes imaginables. On a reproché à Louis Hébert de n'avoir été qu'un cultivateur occasionnel. Comment aurait-il pu en être autrement ?

D'ailleurs, le mérite premier d'Hébert est d'autre nature. Lui et les siens ont donné commencement, chez nous, aux générations familiales qui ont fait la race canadienne-française. Ce mérite est de plus haute valeur que celui d'avoir été notre premier cultivateur.

CHAMPLAIN SE DÉFEND

Aussi longtemps que Champlain s'en était tenu à l'exploration et aux traités d'alliance avec les Indiens, les mercantis n'avaient rien trouvé à redire. Plus le domaine exploitable s'élargissait, plus les fournisseurs augmentaient, plus les deniers s'empilaient ! Ils avaient

MARIE ROLLET
ET SES ENFANTS
1617 — 1649

aussi toléré l'évangélisation, mais ils mirent le holà, quand Champlain s'intéressa activement au défrichement et à la colonisation.

À la Cour, les cabales devinrent dangereuses et firent craindre une destitution du courageux apôtre. En contre riposte, Champlain rédigea deux longs mémoires (1618) dans lesquels il démontrait que la Nouvelle-France pouvait devenir une réussite, même financière, si on voulait en exploiter intelligemment les multiples ressources. Alors que les négociants s'en tenaient à des comptoirs de traite, Champlain proposait une exploitation plus équilibrée de la forêt, du sol et des eaux. Ceci n'impliquait pas le renoncement à un idéal spiritualiste.

Cette même année 1618, Champlain exposa, dans une épître au roi, les motifs supérieurs qui l'inspiraient :

> « Et comme ils (les sauvages) ne sont point tant sauvages, qu'avec le temps, et la fréquentation d'un peuple civilisé, ils ne puissent être rendus polis vous y verrez pareillement quelle et combien grande est l'espérance que nous avons de tant de longs et pénibles travaux que depuis quinze ans nous soutenons, pour planter en ce pays l'étendard de la Croix, et leur enseigner la connaissance de Dieu, et gloire de son Saint Nom, étant notre désir d'augmenter la Charité envers ces misérables créatures, qui nous convient de supporter patiemment plus qu'aucune autre chose, et encore que plusieurs n'ayant pas pareil dessein, mais que l'on puisse dire que le désir du gain est ce qui les pousse . . . »

Les deux thèses adverses sont là : d'une part, colonisation et apostolat religieux à long terme ; de l'autre, commerce rapide, exclusif, profitable tout de suite ! Champlain l'emportera mais après une lutte serrée et pénible.

JOIES ET DEUILS

Au cours de l'année 1618, sur la haute falaise battue de nordet où la petite maison des Hébert, solitaire et confiante, montait seule la garde, une émouvante fête de famille rassembla la population minuscule de la colonie. On célébrait les premières épousailles canadiennes : l'union d'Anne Hébert à Étienne Jonquest.

À peine un an plus tard, en 1619, comme envers de tableau, un triple deuil attrista la famille Hébert. Au mois de juillet, Anne Hébert mourut en donnant naissance à un enfant qui ne put survivre ;

peu de temps après, Étienne Jonquest fut emporté à son tour par la maladie.

Dieu frappe ceux qu'il aime : l'épreuve chrétiennement acceptée est un ferment. Louis Hébert et son épouse le savaient.

LES RÉCOLLETS À LA RIVIÈRE SAINT-CHARLES

L'année 1619, si dure pour la famille Hébert, apporta toutefois des consolations. Grâce aux aumônes recueillies en France par le père Huet, les récollets commencèrent les travaux d'une résidence sur le domaine que Champlain leur avait fait concéder près de la rivière Saint-Charles. Le 3 juin 1620, on procéda à la bénédiction de la première pierre et les travaux avancèrent rapidement. Un an plus tard, 1621, la Maison Notre-Dame des Anges accueillit les religieux.

Une petite église en pierre attestait leur volonté de permanence. L'ensemble produisait bon effet ; le corps principal, haut de deux étages, mesurait 34 pieds par 22. Trois guérites et une demi-lune assuraient une protection contre les attaques possibles.

Et ainsi « prennent naissance la première maison religieuse, le premier séminaire, la première église solide de la Nouvelle-France » (Léo-Paul Desrosiers).

LONG SÉJOUR DE CHAMPLAIN
(1620-1624)

Depuis 1603, Champlain n'a fait que de brefs séjours à Québec. Les intrigues des marchands l'ont forcé à faire constamment la navette entre la colonie et la France. Dix-sept traversées en dix-sept ans (1603-1620). Il ne s'imposait pas cette bougeotte épuisante de gaieté de cœur. Quand il crut ses positions assez fermes, il vint à Québec pour y demeurer avec son épouse et procéder aux travaux de réfection et de fortification réclamés par le roi.

L'arrivée de la jeune femme de Champlain, Hélène Boullé, ensoleilla la petite capitale. Âgée de vingt-deux ans, élégante, enjouée, elle devient le centre d'attraction des Français et des Indiens. Elle a

Madame de Champlain instruisant les enfants indiens.

beau jeu pour exercer son prosélytisme de néo-convertie. Avec les trois servantes qui l'accompagnent, la population féminine dépasse maintenant la demi-douzaine.

Marie Rollet et sa fille Guillemette se sentent moins abandonnées. Le 26 août 1621, cette dernière est conduite à l'autel par Guillaume Couillard. Le ménage Couillard-Hébert donnera dix enfants au pays. L'histoire humaine du Canada est en marche.

Sur la falaise où s'élève une seule habitation, celle de Louis Hébert, Champlain a préparé le terrain pour un fort, commencé en 1620. Le fort Saint-Louis dominera le fleuve, il protégera le maigre noyau humain blotti en contre-bas, sur la grève. Expression très nette d'une volonté : la France est au Canada pour y rester.

En 1624, Champlain retourne en France avec son épouse. Les Associés ont repris leur politique d'obstruction et le chef de la colonie doit de nouveau courir à la Cour pour défendre ceux qui s'arrachent le cœur afin de bâtir une France neuve.

LE DUC DE VENTADOUR PROTECTEUR DE LA COLONIE

À sa rentrée en France, à l'automne de 1624, Champlain apprend une nouvelle réconfortante : le duc de Ventadour va accepter la charge de vice-roi du Canada (1625-1627).

Le jeune duc, — il n'a pas trente ans, — est riche, puissant, épris d'apostolat. Lui et sa toute gracieuse épouse, Marie Liesse de Luxembourg, forment un couple aimé et envié, qui bientôt se séparera pour un don plus total. Le 24 septembre 1628, dans la chapelle des Carmélites, ils offriront « à Dieu, dans la simplicité de leur cœur, leur très pur amour conjugal et le transformeront en très pur amour angélique » (Mourret). L'année suivante, la jeune femme entrera au Carmel d'Avignon et le pair de France s'orientera vers le sacerdoce.

Henri de Lévy, duc de Ventadour, avait fondé en 1627 la puissante et mystérieuse Compagnie du Saint-Sacrement dont on a dit qu'elle est responsable de « la plupart des bonnes œuvres les plus célèbres de ce siècle (XVIIe) et les plus glorieuses à la religion. »

Le duc de Ventadour apparaît comme un protecteur choisi par la Providence. Il adhéra sans effort aux vues élevées de Champlain

et il lui promit son appui.   Son confesseur, le jésuite Philibert Noyrot,
l'avait mis déjà au courant des affaires canadiennes.   À ses yeux la
conversion des Indiens primait tout autre objectif.   Aussi, lorsque,
d'accord avec le chef de la colonie, le franciscain Irénée Piat, religieux
d'un grand zèle, demanda officiellement l'appui des missionnaires de
la Compagnie de Jésus, le duc endossa la supplique et s'engagea à pourvoir lui-même aux dépenses de six missionnaires jésuites.

ARRIVÉE DES JÉSUITES

Cinq jésuites sont désignés : Ennemond Massé, qui, depuis onze
ans, enflammait le zèle des scolastiques du collège de La Flèche ;
Jean de Brébeuf, un géant de trente-deux ans, en qui bouillonnait le
sang audacieux des Normands ; Charles Lallemant, directeur du
célèbre collège de Clermont à Paris ; et deux frères coadjuteurs :
François Charton et Gilbert Buret.

Accueillis comme des intrus à leur descente à Québec, le 15 juin
1625, les cinq jésuites furent hébergés par les franciscains. Ils
reçurent dès 1626 une concession de quatre lieues, la Seigneurie
Notre-Dame des Anges, et ils se mirent à l'œuvre pour se loger, défri-
cher et bêcher la terre.   Vingt ouvriers furent envoyés de France afin
de pousser les travaux, mais on dut les rapatrier en 1627 parce que la
Compagnie des frères de Caen refusait de les nourrir.

Les jésuites avaient une tâche ardue devant eux.   Les missions
marchaient au ralenti.   Après avoir séjourné un an chez les Hurons,
les récollets s'étaient contentés d'établir des relations d'amitié et des
ébauches de prédication et d'enseignement auprès des groupes attirés
aux comptoirs de traite de Tadoussac et surtout des Trois-Rivières.

PREMIÈRES VICTIMES

À l'été 1623, le père Joseph Le Caron, Nicolas Viel, et le frère
Sagard allèrent de nouveau chez les Hurons avec une quinzaine de
Français.   Les Indiens les reçurent froidement.   En dépit de cette
malveillance, le père Nicolas Viel resta sur place lorsque le groupe des
Français reprit le chemin de Québec en 1624.   Il réussit à amadouer

Les récollets accueillent les jésuites à Québec, 1625.

quelques indigènes, mais les esprits restaient mal disposés. Au cours de l'été 1625, alors qu'il s'en revenait en canot avec un jeune disciple français, Ahuntsique, il fut traîtreusement précipité dans la rivière en même temps que son compagnon, à l'endroit désigné aujourd'hui sous le nom de Sault-au-Récollet. Tous deux périrent victimes de la malice des païens. Ils ouvraient la liste des héros de la foi au Canada.

BRÉBEUF CHEZ LES HURONS

Il y avait à peine dix jours que les fils de saint Ignace étaient à Québec lorsque parvint la nouvelle de la mort tragique du P. Viel et d'Ahuntsique. Le P. Jean de Brébeuf, ardent et impétueux, voyait là une raison de monter tout de suite en Huronie, mais on le retint. Ce n'était que partie remise. En 1626, il se fit accepter dans les canots qui remontaient vers le pays des Hurons. Le P. Anne de Noue, jésuite, et le franciscain Joseph de la Roche d'Aillon l'accompagnaient. Tous déploieront beaucoup de zèle, mais toujours en vain. Brébeuf persista malgré tout. On le reverra à Québec en 1628. Comme on redoutait un coup de force des Anglais, il ne put repartir.

INTERVENTION DE RICHELIEU

Champlain revint au début de juillet 1626. Il trouva le poste dans un état de malaise et d'inertie. Les travaux du fort Saint-Louis n'avaient guère progressé ; il remit tout en marche. Au cours du mois de janvier 1627, la mort de son compagnon fidèle, Louis Hébert, lui porta un dur coup.

Heureusement, les nouvelles reçues de France le réconfortèrent. Le cardinal de Richelieu qui, depuis trois ans, dirige d'une poigne d'acier les affaires de France, a décidé de mettre les spéculateurs à la raison. Avec lui, les choses ne traînent pas. Il fonde une compagnie puissante dont il garde le contrôle. La compagnie des Cent-Associés reçoit ses lettres patentes le 29 avril 1627. Des personnages imposants s'y inscrivent, par conviction, intérêt, ou diplomatie. En retour des privilèges accordés, Richelieu exige de la compagnie l'envoi annuel

de trois à quatre cents colons bien choisis et de foi catholique romaine ;
la compagnie devra assurer la subsistance de ces recrues durant trois
années et pourvoir à tous les frais du culte.

La compagnie des Cent-Associés nolisa, dès 1628, une flottille
portant 400 recrues, avec provisions et équipement. Cette imposante
levée d'hommes n'atteignit pas Québec. Les navires furent attaqués
et saisis en mer par la flotte des Kirke, huguenots de Dieppe. Privés
de ravitaillement, les Québécois vécurent un hiver misérable ;
affaiblis et affamés, ils durent se rendre quand les Kirke vinrent sommer
Champlain de capituler (19 juillet 1629). Le premier effort sérieux
de la France se trouvait ainsi paralysé à son départ.

LES ANGLAIS À QUÉBEC
(1629-1632)

La minuscule colonie, — elle ne comptait pas cent habitants, —
passait aux mains de l'Angleterre. Ceci juste au moment où la
France s'était décidée à l'action. On jouait de malchance.

Les Français qui le désiraient purent demeurer à Québec ; on leur
garantissait liberté et bons traitements. Champlain, les missionnaires
et les commis de traite furent forcés de retourner en Europe.

Trente-quatre personnes consentirent à demeurer sur place,
comptant bien que la France reviendrait. Saluons, dans ce groupe,
la courageuse Marie Rollet, remariée à Guillaume Hubou ; Guillemette Hébert, son mari, Guillaume Couillard, et leurs trois enfants,
Louise, Marguerite et Louis ; Marguerite Langlois, épouse d'Abraham
Martin, et leurs trois filles, Anne, Marguerite et Hélène ; Pivert, sa
femme Marguerite Lesage et une nièce.

À ce moment critique, la crâne attitude des femmes donnait la
mesure d'âme de la minuscule France d'Amérique. Les réalisations
matérielles n'avaient pas de quoi enflammer la fierté. Les pessimistes
pouvaient crier au fiasco. Ils n'y manquèrent pas. Mais la valeur
authentique d'une œuvre ne se pèse pas par quantités et par nombres.
Elle est d'une autre essence. La Nouvelle-France avait coûté trop de
peines, elle avait suscité trop de dévouements, pour mourir aussi tôt.

II

ENRACINEMENT
1632-1665

À l'été de 1634, Champlain envoie Laviolette établir un poste fortifié aux Trois-Rivières.

La France recommence...

(*1632-1635*) L'année 1627 aurait dû, selon les prévisions et décisions du cardinal de Richelieu, ouvrir une période d'expansion pour la colonie. Les Cent Associés avaient reçu des ordres très nets et ils disposaient de moyens considérables pour les exécuter.

Malheureusement, l'Angleterre régnait déjà sur les océans. Les vaisseaux français furent saisis et Québec capturé en 1629.

Trois ans plus tard, l'histoire française recommence. Richelieu envoie Razilly restaurer la colonie acadienne et il charge Champlain de relever l'établissement de Québec.

De 1632 à 1635, la Nouvelle-France reprend forme.

G.A. Reid, r.c.a.   *Archives publiques du Canada*

À la fin de sa carrière, Champlain a l'assurance que son œuvre survivra.

QUÉBEC RENDU

L ES Anglais avaient pris Québec alors que la paix venait d'être signée quelques semaines auparavant. La capture était illégale. Leur intervention survenait d'ailleurs à contretemps, juste comme le puissant et ombrageux cardinal Richelieu venait de prendre la Nouvelle-France sous sa protection. Ils n'avaient qu'à restituer le bien mal acquis. Ce qu'ils firent en 1632.

Richelieu avait de la suite dans les idées. L'échec du premier effort le stimula. Il confia l'Acadie à son cousin Isaac de Razilly et renvoya Champlain à Québec avec des pouvoirs accrus.

RENAISSANCE ACADIENNE

Le cardinal mit quatre vaisseaux à la disposition d'Isaac de Razilly. Le convoi, portant 300 colons, quitta la France le 4 juillet. Dix semaines plus tard, il arrivait à destination. Une dizaine de ménages étaient à bord, prêts à s'établir en permanence. Razilly leur accorda des lots de cent arpents de terre ainsi que des vivres et des bestiaux. Dès le printemps 1633, les défrichements et les semailles commencèrent. La race acadienne débutait.

M. de Razilly désirait, comme Champlain, appuyer sa colonie sur l'agriculture, le commerce des fourrures, la pêche, l'exploitation des mines et de la forêt. Il voulait surtout faire de chaque établissement un foyer de christianisation des Indiens, sous la direction spirituelle des Capucins, désignés par Richelieu pour desservir l'Acadie. Razilly n'aura pas le temps d'asseoir fortement son entreprise. Il mourra en 1635, un mois avant Champlain.

Son décès compromit l'essor de l'Acadie naissante.

AU SAINT-LAURENT

Champlain ne put partir en 1632 et c'est Emery de Caen, gentilhomme huguenot, qui vint, au nom de Louis XIII, reprendre possession de Québec. Trois vaisseaux, portant une quarantaine d'hommes, arrivèrent au Saint-Laurent à la mi-juillet. Ils amenaient trois jésuites, mais pas un seul récollet.

LES RÉCOLLETS ÉVINCÉS

Les Récollets, pionniers de l'Évangile, avaient laissé au Canada une partie de leur cœur. Ils comptaient y revenir. Richelieu en décida autrement. Partisan de l'unité de direction, il confia Neuve-France à un seul ordre religieux, les Jésuites. Les Récollets souffrirent et attendirent. On ne devait les réadmettre qu'en 1670, « après quarante ans d'amertume tenace ». Amertume légitime.

Les pères Paul Lejeune et Anne de Noue, et le frère Buret, formèrent la première équipe envoyée au Saint-Laurent. On salua leur arrivée avec émotion en 1632. Depuis trois ans, les familles restées à Québec n'avaient eu ni messe ni sacrements.

Le père Lejeune trouva les résidences des jésuites et des récollets trop délabrées pour s'y installer. Il célébra la première messe dans la maison des Hébert, « l'unique famille de Français habituée en Canada », écrit-il. Marie Rollet et les siens en furent bouleversés de bonheur. « Ils ne savaient à qui dire leur contentement, mais quand ils nous virent en leur maison pour y dire la sainte Messe, qu'ils n'avaient point entendue depuis trois ans, bon Dieu, quelle joie ! Les larmes tombaient des yeux quasi à tous, de l'extrême contentement qu'ils avaient. Oh ! que nous chantâmes de bon cœur le *Te Deum* . . . »

LE DERNIER VOYAGE DE CHAMPLAIN

À la fin de mars 1633, Champlain s'embarqua avec deux cents colons des deux sexes. Pour la première fois la colonie recevait un renfort qui n'était pas dérisoire. Le vétéran jésuite Ennemond Massé et l'intrépide Jean de Brébeuf accompagnaient Champlain. C'était la vingt-et-unième fois que le fondateur de la Nouvelle-France affrontait le redoutable océan, au service de la colonie. Un pressentiment lui disait que c'était sa dernière traversée.

À Québec, Champlain accomplit d'abord un vœu fait à la Vierge. Il érigea en son honneur une petite chapelle : *Notre-Dame de la Recouvrance* pour remercier Marie de sa puissante protection.

Il s'occupa ensuite de tout remettre en ordre, de loger les recrues, de commencer les défrichements. Et il prépara son plan d'action pour 1634.

L'ANNÉE DES RECOMMENCEMENTS

L'année 1634 est importante dans notre histoire. Avant de mourir, Champlain veut renforcer l'emprise de la France sur le pays et sur les âmes. Il a fait ériger le poste de Richelieu, sur un îlot près de Deschambault ; cette habitation n'aura pas d'histoire. Mais un autre établissement fortifié, Trois-Rivières, affirme la volonté de durée de la Nouvelle-France pendant que, sur la côte de Beaupré, près de Québec, les familles percheronnes de Robert Giffard créent le premier établissement agricole sérieux. — La Huronie voit revenir l'Église catholique avec les missionnaires Brébeuf, Daniel et Davost. — Enfin, Jean Nicolet, voyageur, interprète et ambassadeur, est envoyé en mission de paix au centre du continent.

Évangélisation, colonisation, exploration, tout repart à la fois.

LES PERCHERONS À BEAUPORT

Au début de juin 1634, un contingent de 43 personnes débarqua à Québec sous la conduite du nouveau seigneur de Beauport, Robert Giffard, accompagné de son épouse, Marie Renouard. Ces recrues venaient d'une région terrienne, le Perche. Avec eux l'agriculture canadienne débutait dans des conditions rassurantes.

Robert Giffard, médecin-chirurgien-apothicaire, aimait le Canada. Il y était venu à plusieurs reprises sur les navires de traite. Comme son collègue Louis Hébert, il s'était épris du pays rude et plein de promesses. Sa femme, Marie Renouard, était de la même trempe que Marie Rollet, l'épouse de Louis Hébert. Elle accepta de suivre son mari. Non sans mérite. Huit jours après son arrivée, elle donna naissance à une fille qui eut l'honneur d'avoir pour parrain M. de Champlain, le fondateur de la Nouvelle-France, et pour marraine,

Guillemette Hébert, mère de la première dynastie familiale canadienne. La petite Marie-Françoise entrait dans la vie sous le signe
de la prédestination. Elle sera la première Canadienne à se consacrer
à Dieu, chez les Hospitalières de Québec, en 1646.

Marie Renouard fait bonne figure dans la lignée des bâtisseuses
de la patrie canadienne. Il faut aussi retenir les noms des autres
pionnières du contingent de Robert Giffard : Perrine Malet, épouse
de Marin Boucher ; Nicole LeMère, femme de Gaspard Boucher ;
Xaintes Dupont, épouse de Zacharie Cloutier ; Mathurine Robin,
femme de Jean Guyon.

Alors qu'elles s'apprêtaient, un peu d'angoisse dans l'âme, à
refaire un foyer dans un pays où tout était à créer, ces femmes ne
soupçonnaient pas qu'un jour leur nom pût figurer dans un traité
d'histoire. Pourtant, elles ont droit à ce témoignage de gratitude et
d'admiration.

Le premier essaim de familles percheronnes a introduit chez nous
des traditions, des façons de vivre, un sens du devoir, dont on retrouve
partout l'influence. L'atavisme percheron a marqué notre paysan-
nerie ; il lui a inculqué le sens de la stabilité, de la prudence, de la
méfiance instinctive des nouveautés. Ces qualités rendront de
précieux services à notre peuple au cours des périodes les plus
critiques.

Transplantées en terre neuve, les familles percheronnes se sont
senties tout de suite à l'aise, malgré les différences de climat et de
milieu. Elles ont continué tout simplement leur vie laborieuse,
ordonnée, féconde. Si nous pouvions établir en blanc et noir ce
que la Patrie canadienne leur doit, nous serions émerveillés.

Il y a une trentaine d'années, un chercheur a recensé la descendance de Mathurine Robin et de Jean Guyon. Neuf générations
issues de cette maman modeste et oubliée ont donné au pays : un
cardinal, dix-sept archevêques et évêques, près de cinq cents prêtres,
plusieurs centaines de religieux et de religieuses, et des milliers d'excel-
lents citoyens.

Les richesses humaines et spirituelles qui illuminent la dynastie
familiale de Mathurine Robin et de Jean Guyon se retrouvent en
proportions sensiblement égales dans les descendances des autres
familles percheronnes de 1634.

TROIS-RIVIÈRES

Pendant que Robert Giffard installe ses recrues près de Québec, Champlain met à exécution un projet déjà indiqué dans sa relation de 1603. Il envoie des hommes à quatre-vingt-dix milles en haut de Québec, à l'embouchure du Saint-Maurice, avec ordre d'y élever une habitation fortifiée. Laviolette et ses assistants arrivent aux Trois-Rivières le 4 juillet 1634. Les pères Jean de Brébeuf et Antoine Daniel les accompagnent.

Le site trifluvien est familier aux Francais. Depuis 1615, ils y ont séjourné plusieurs semaines chaque été. En effet les Indiens se plaisaient « davantage aux Trois-Rivières que non pas à Québec », ce qui forçait les commis de traite à venir les y rencontrer. Les missionnaires profitaient de ces ralliements saisonniers pour se mêler aux nomades, les catéchiser et se faire inviter dans leurs quartiers d'hiver.

À la fin de l'été, lorsque les travaux furent assez avancés, le père Lejeune et le père Jacques Buteux montèrent aux Trois-Rivières pour y jeter les bases d'une résidence missionnaire, placée sous le vocable de la Conception de Marie (8 septembre 1634).

L'Église de Québec avait débuté, en 1615, sous les auspices de l'Immaculée-Conception. L'Église trifluvienne suit le bon exemple. Sous peu, la Vierge régnera à 100 milles plus loin, à Ville-Marie. La colonie est bien gardée.

L'AUDACE NORMANDE

Le petit bourg des Trois-Rivières eut comme premiers concessionnaires des hommes audacieux déjà rompus à la vie canadienne. Utilisés comme interprètes par Champlain, ils avaient vécu avec les sauvages, avaient appris leur langue et conquis leur respect. Les principaux étaient Jacques Hertel, François Marguerie, Jean et Thomas Godefroy, Jean Nicolet, Jean Amyot. Amis du risque, pleins de cran, ces interprètes, coureurs de rivières et de forêts, possédaient les qualités typiques de la race normande, débrouillarde, dure à la fatigue, sensible au panache.

En 1636, arrivèrent de Normandie les familles Le Gardeur de Repentigny et Le Neuf de la Poterie, au total quarante-cinq personnes, dont « six demoiselles et des enfants beaux comme le jour ». Le père Lejeune les salua avec lyrisme : « Qui fera maintenant difficulté de passer nos mers, puisque des enfants si tendres, des demoiselles si délicates, des femmes naturellement appréhensives se moquent et se rient de la grandeur de l'océan ? C'était un sujet où il y avait à louer Dieu de voir en ces contrées des demoiselles fort délicates, des petits enfants tendrelets, sortir d'une prison (le navire) comme le jour sort des ténèbres de la nuit, et jouir, après tout, d'une aussi douce santé, nonobstant toutes les incommodités qu'on reçoit dans ces maisons flottantes, comme si on s'était promené au Cours dans un carrosse. »

Une des six « demoiselles fort délicates » fut conquise par le charme d'un normand trifluvien. L'année même de son arrivée, le 15 décembre 1636, Marie Leneuf épousa Jean Godefroy. Ainsi commençait l'histoire humaine des Trois-Rivières. Le 21 octobre 1637, un fils naîtra, Michel Godefroy. Le premier-né trifluvien était de bonne race normande.

REPRISE DES MISSIONS

La Compagnie de Jésus avait fait un cadeau inappréciable au pays en lui envoyant le père Lejeune. Fils de parents calvinistes, le nouveau supérieur possédait des qualités exceptionnelles d'animateur et de propagandiste. On peut le considérer comme le père des missions jésuites au Canada.

En 1633, des renforts arrivèrent : les pères Brébeuf, Massé, Daniel et Davost. Avant de se relancer à la conquête des âmes païennes, les religieux exercèrent leur apostolat auprès des Français de Québec. Il importait que leur qualité de vie fût un exemple pour les Indiens. En cela, ils étaient soutenus par l'exemple du pieux monsieur de Champlain. « À sa table on faisait lecture, le matin, de quelque bon historien, le soir, de la vie des saints. À la fin de chaque journée on faisait l'examen de conscience et on récitait les prières à genoux. Monsieur le gouverneur faisait aussi « sonner la salutation angélique au commencement, au milieu et à la fin du jour, suivant la coutume de l'Église » (Lejeune).

Toutefois le soin spirituel des tribus païennes occupait le premier plan. Le père Lejeune avait été mis au courant de bien des détails par les vétérans Massé et Buret. Il voulut compléter sa formation par l'expérience directe. À la fin d'octobre 1633, il s'aventura en forêt avec une vingtaine de Montagnais. Il y passa l'hiver. Le récit de son expédition nous fait tour à tour frémir, sourire, vibrer.

La Huronie conservait la vedette. Les récollets y avaient jeté les premières semences, sans résultat appréciable. Les jésuites entretenaient l'espoir d'entamer un jour ce bloc de 30 000 païens à demi-sédentaires. L'instabilité des autres tribus empêchait toute action durable. En Huronie, même si les premières expériences avaient paru décevantes, on pouvait fonder une Église offrant des chances de stabilité.

Après la saison de traite de 1634, aux Trois-Rivières, trois missionnaires demandèrent leur place dans les canots hurons. C'étaient les pères Jean de Brébeuf, Antoine Daniel et Davost. Les canoteurs émirent des objections. Le père de Brébeuf, un géant, était trop difficile à caser dans un canot ; il risquait de le faire chavirer. Des palabres amicales de Jean Nicolet et quelques cadeaux apaisèrent les oppositions. La montée de huit cents milles s'effectua sans complications et les religieux se mirent à l'œuvre dès leur arrivée.

Dans les rapports de l'année 1635, les missionnaires de la Huronie inscrivent quatorze baptêmes. En 1636, ils en enregistrent quatre-vingt-six. Quatre ans après la reprise de 1634, les baptisés se chiffrent à une centaine. Malheureusement, sur ce nombre, il y a peu d'adultes en bonne santé. Ce sont des mourants qu'on baptise.

JEAN NICOLET AU MICHIGAN

Champlain, en cette année 1634, remet tout en marche, comme s'il voulait, à la veille de sa mort, ne rien laisser en souffrance.

Les établissements de Beauport et le poste des Trois-Rivières manifestaient le caractère définitif de l'enracinement français au Saint-Laurent. La reprise des missions apostoliques comblait les désirs premiers de l'homme pour qui « la conversion d'un Indien valait plus que la conquête d'un empire ».

Jean Nicolet rencontre les Indiens établis à l'ouest du lac Michigan.

Restait un dernier point : l'exploration de nouveaux territoires, des traités d'alliance avec des tribus lointaines, et, peut-être, la découverte toujours espérée d'un passage pour l'Orient.

C'est à Jean Nicolet que Champlain confia cette triple mission. Ce prototype d'aventurier normand, dans le meilleur sens du mot, était au Canada depuis 1618. Champlain l'avait mis à l'école de la nature en l'envoyant vivre avec les Indiens. Les indigènes aimèrent du premier coup ce jeune homme séduisant. Ses prouesses, sa bonne humeur, ses trucs ingénieux, conquirent leur affection. Il siégea comme capitaine dans les Conseils ; pour marquer leur admiration, les Indiens le baptisèrent ACHIRRA, ce qui veut dire « homme deux fois », autrement dit, « surhomme ».

Champlain avait eu souvent recours aux bons offices de son protégé. Durant l'occupation anglaise de 1629-32, c'est Jean Nicolet qu'il avait laissé chez les Indiens avec mission de les garder à l'amitié française.

En cet automne 1634, Jean Nicolet s'en va, porteur d'instructions précises. Il doit se rendre quelque part vers l'Ouest, là où habitent les Gens de Mer dont les Indiens du Saint-Laurent ont souvent parlé. Ils ont mauvaise réputation, mais on dit qu'ils entretiennent des relations amicales avec des hommes qui viennent de l'Ouest. Des Orientaux, peut-être ? Nicolet a mis dans ses bagages une robe de soie ornée de dessins chinois.

Lorsqu'il parvient, après une randonnée de plus de 1500 milles, au lieu de rencontre des Gens de Mer, il revêt son brillant costume et c'est dans cette tenue imposante qu'il apparaît devant les Indiens assemblés. Deux coups de pistolet tirés en l'air produisent un effet magique. Les Indiens se prosternent devant l'envoyé du Ciel, porteur du tonnerre.

Jean Nicolet avait réussi sa première entrée. On se montra plein d'égards pour lui. Au cours de l'hivernement, à la baie Verte, dans la partie occidentale du lac Michigan, l'ambassadeur recueillit des renseignements, enregistra des observations. On lui parla d'une grande rivière, le Mississipi, qui coulait vers le sud et dont les sources se trouvaient à quelques lieues seulement de la baie Verte.

Jean Nicolet revint au Saint-Laurent en 1635. Il se rendit à l'Habitation faire rapport à Champlain. La route d'Orient gardait son secret, mais la France était maintenant connue et respectée jusqu'au cœur de l'Amérique.

MORT DE CHAMPLAIN

Les réalisations étonnantes des années 1634 et 1635 prennent la tonalité d'un chant final ; Champlain achève sa prodigieuse carrière dans un climat de confiance. Il a maintenant la conviction que son œuvre vivra.

Au commencement d'octobre, une attaque de paralysie l'immobilisa. Il se prépara chrétiennement à partir. Son contrat de mariage assurait à son épouse la jouissance de tous ses biens. Par une piété mariale que ne désavouera pas la fervente convertie, Hélène Boullé, Champlain constitua la sainte Vierge sa légatrice universelle. Il mourut, paisible et serein, le 25 décembre 1635.

Lors du retour de Champlain, en 1633, son épouse était demeurée à Paris. Devenue veuve, elle réalisa son grand désir d'entrer en religion. Elle se fit Ursuline et fut envoyée à Meaux pour y fonder un monastère. Elle y mourut en 1654, à l'âge de 56 ans.

Trente années d'héroïsme...

(*1635-1665*) À la mort de Champlain, la colonie semble assurée de vivre. Trente années d'incursions iroquoises vont paralyser son rythme de croissance et menacer son existence. Elle se tirera de ce long martyre grâce à son calme héroïsme et à sa persistance dans la foi.

La France finira par entendre les appels de la colonie aux abois.

En 1663, Louis XIV prend en mains le sort de la Nouvelle-France. Il transforme le système administratif et, en 1665, il envoie des troupes et des chefs capables d'en imposer aux Iroquois et de rétablir le prestige français.

nerable Mere Marie de L'Incarnation Premiere Superieure des Vrsulines de la
elle France; qui apres auoir passé trente deux Ans dans le Siecle, en des penitences ex
ures; huict ans au Monastere des Vrsulines de Tours, dans la pratique d'vne tres exa
uance; et trente trois ans en Canada, dans vn Zele incroyable pour la Conuersion de
ages, est decedeé a Quebec en odeur de Sainteté le dernier d'Auril 1672, âgeé de 72
ois. 13 Iours.
                                  I. Edelinck Sc

AU moment où meurt Champlain (1635), un souffle de ferveur soulève la société française L'époque s'y prête. Les remous des guerres religieuses ont secoué les tièdes, stimulé les bons. La Compagnie du Saint-Sacrement polarise ces élans de renouveau. Ses membres agissent dans le secret le plus absolu : ils font du noyautage intensif et exercent leur prosélytisme dans tous les domaines de la vie chrétienne et dans tous les milieux sociaux. Ils appliquent la formule recommandée par le pape Paul V : « Améliorez les catholiques ; c'est le meilleur moyen d'écraser le protestantisme ! »

Améliorer les catholiques et augmenter leur nombre par l'évangélisation des infidèles. La Nouvelle-France apparaît comme un terrain idéal pour appliquer ce programme.

Les bons indigènes sont devenus l'objet d'une tendresse et d'un engouement contagieux. Des Indiens sont amenés en France ; leur baptême donne lieu à des cérémonies très courues. Chez les Hospitalières de Dieppe, on accueille des fillettes sauvages du Canada. Deux Indiennes reçoivent le baptême au Carmel de Paris en 1637. Leurs marraines sont des princesses ou des duchesses. « La famille royale elle-même, en 1638, accueillait solennellement un jeune sauvage ; on lui faisait voir le Dauphin ; on lui remettait, pour qu'il les rapportât au Canada, six paires d'habits royaux. (...) Les beaux vêtements de cour dont il était gratifié devinrent, au Canada, parures de catéchumènes pour les baptêmes qu'illustrait la présence de M. le gouverneur. » (G. Goyau)

La fièvre canadienne bouleversait les cloîtres. Les moniales priaient, se mortifiaient, pour aider à la diffusion de l'Évangile et pour mériter d'être envoyées outre-mer. « Il y en a tant qui nous écrivent, et de tant de monastères, que vous diriez que c'est à qui se moquera la première des difficultés de la mer, des mutineries de l'océan et de la barbarie de ces contrées » (père Lejeune, 1635).

HOSPITALISATION ET ÉDUCATION

Dès 1633, le père Lejeune avait lancé un appel aux Dames de France, les exhortant à consacrer à la fondation d'un « séminaire de filles » une part des sommes dépensées en menus plaisirs. Les soins médicaux aux fillettes et aux femmes malades le préoccupaient également. Marie Rollet et quelques dames généreuses se faisaient tour à tour catéchistes et infirmières, mais elles ne suffisaient pas à la tâche.

Pour les garçons, les jésuites avaient établi un collège en 1635. Il fallait pourvoir au plus tôt à la formation des jeunes filles.

Il eût été d'une imprudence folle d'amener ici des religieuses sans leur assurer une maison bien rentée. Le père Lejeune tenta d'attendrir les riches.

« Voilà des vierges tendres et délicates, écrit-il, toutes prêtes à venir chercher de petites âmes dans les rigueurs d'un air bien plus froid que l'air de France, et on ne trouvera point de bonne dame qui donne un passeport à ces amazones du grand Dieu, leur dotant une maison ? »

Le cri du père Lejeune sera entendu. Deux dames de haut lignage accepteront de donner « un passeport à ces amazones du grand Dieu » qui désirent se dévouer en Canada. La première sera *Madeleine de Chauvigny*, veuve du chevalier *Charles Grivel de la Peltrie* ; l'autre, *Marie-Madeleine de Wignerod*, veuve du marquis de Combalet, nièce de Richelieu, qui vient de la créer duchesse d'Aiguillon.

MADAME DE LA PELTRIE

À dix-sept ans, Madeleine de Chauvigny s'était retirée dans une abbaye, après une fête mondaine donnée en son honneur au château de Vaubougon. Son seigneur père l'en avait tirée et l'avait mariée d'autorité à Monsieur de la Peltrie (1620). Après cinq ans de ménage, l'époux mourut, la laissant veuve à vingt-deux ans. Riche, sans enfant, pleine de grâce et de vivacité, la jeune femme pouvait espérer un remariage avantageux.

Elle a décidé, cette fois, qu'on ne la mariera pas malgré elle. Son père menace de la déshériter, si elle n'accepte un second mari. La

Madame de la Peltrie.

menace inquiète Madame de la Peltrie qui a fait vœu, au cours d'une grave maladie, d'aller bâtir en Canada une église dédiée à saint Joseph. Elle ne veut ni se remarier... ni perdre son héritage.

Elle recourut alors à un stratagème digne d'une comédie de Molière. Un jour, arriva une demande en mariage de la part d'un gentilhomme de haute famille, Jean de Bernières Louvigny. Le parti convient, mais le père redoutait des résistances de la part de sa fille. À sa grande surprise, Madeleine consentit. Ni M. de Bernières, sorte de moine laïque, ni Madeleine n'avaient l'intention de se marier. M. de Bernières s'était prêté au jeu de la pieuse veuve, afin de lui assurer la paix avec son père, la disposition de ses biens et, surtout, la possiblité de remplir son vœu. Le simulacre apaisa l'irascible seigneur, qui mourut subitement, rassuré et satisfait.

Libre de ses actes et de ses biens, Mme de la Peltrie se mit à la disposition des Ursulines pour les aider à établir le « séminaire de filles » réclamé par le père Lejeune.

LA DUCHESSE D'AIGUILLON

Dans le même temps, une autre veuve de bonne lignée s'intéresse au Canada. Marie-Madeleine de Wignerod est fille de Françoise du Plessis, sœur du cardinal de Richelieu. Mariée à seize ans au marquis du Roure de Combalet, elle devient veuve peu de temps après et choisit d'entrer au Carmel. Son oncle en décide autrement. En 1623, il va la tirer de la solitude et la relance dans le siècle. En 1638, désespérant de la voir se remarier, il la fait duchesse d'Aiguillon, ce qui lui assure rang, richesse et protection du roi, advenant la mort de son protecteur.

La duchesse, guidée et inspirée par Monsieur Vincent, fera bon usage des largesses de son oncle. Vincent de Paul est membre de la Compagnie du Saint-Sacrement et ami de Monsieur de Bernières. Il encourage sa dirigée à doter un hôpital pour les malades du lointain Canada. Les Hospitalières de Dieppe, un des ports d'embarquement pour l'Amérique, sont enchantées de fournir des religieuses. Le contrat de fondation de l'Hôtel-Dieu de Québec est signé en 1638. Le cardinal Richelieu a voulu participer à l'œuvre en assurant, de son côté, un revenu annuel de 1 500 livres.

UN CLOÎTRE FLOTTANT

Le 4 mai 1639, un voilier en partance pour le Canada reçoit à son bord une petite communauté de caractère tout à fait inédit. Trois jésuites, les pères Vimont, Poncet et Chaumonot, sont déjà des familiers ; les équipages commencent à s'habituer aux jésuites, depuis le temps qu'ils en transportent au Canada. Mais on n'avait jamais vu encore, sur aucun voilier partant pour les pays lointains, des religieuses missionnaires. Et il y en a six, pas une de moins. Trois ursulines et trois hospitalières. Madame de la Peltrie est aussi du voyage. Quant à la duchesse d'Aiguillon, elle est demeurée à Paris.

Les trois ursulines ont à leur tête une veuve de Tours, Marie Guyard, dont l'entrée en religion avait fait quelque bruit. Restée veuve à vingt ans, après deux ans de mariage, elle s'était occupée de son fils Claude jusqu'au seuil de l'adolescence. En 1631, alors que

La duchesse d'Aiguillon.

son fils touchait à ses treize ans, elle entra chez les Ursulines. Cette décision étrange avait suscité des critiques et provoqué des manifestations fomentées par sa famille. Elle tint bon... Après ses vœux solennels (1633), Mère Marie de l'Incarnation se trouva prête à exécuter les ordres reçus du ciel concernant le Canada.

Maintenant elle est en route pour la terre promise. On lui a adjoint les sœurs Marie de Saint-Joseph et Cécile de Sainte-Croix.

Les trois hospitalières ont pour supérieure Mère Saint-Ignace, âgée de vingt-neuf ans. Sœur Saint-Bernard, vingt-huit ans, et sœur Saint-Bonaventure, qui n'a que vingt-deux ans, complètent le trio.

Le père Vimont assume l'aumônerie de cette petite communauté. Chaque supérieure alterne, de semaine en semaine, et fait observer le règlement. « Nous disions l'office et faisions nos lectures deux fois le jour en public ; on le faisait aussi à table chacune à son tour. » Ces détails sont de sœur Cécile de Sainte-Croix, qui souligne, incidemment, que le menu se « composait surtout de morue au vinaigre, sans beurre », et que, très souvent, « on était contraint de prendre les repas à platte terre et tenir un plat à trois ou quatre, et si, on avait bien de la peine à l'empêcher de verser ». Dans ces conditions, la lecture au « réfectoire » devait être truffée de distractions bien pardonnables.

Les émotions ne manquèrent pas. Des pirates aperçus à l'horizon firent passer un courant de panique sur les passagers. On put fuir assez vite pour leur échapper. Mais les tempêtes ne s'évitent pas aussi facilement. Il y en eut qui durèrent deux semaines sans désemparer. Dans le voisinage de Terre-Neuve, le navire faillit heurter une énorme banquise. Le père Vimont donna même une absolution générale, tellement le naufrage semblait inévitable. Enfin, après deux mois et dix jours, le noviciat de la mer prit fin.

On est à Tadoussac le 15 juillet 1639. En attendant que les barques soient prêtes pour la dernière étape, les voyageuses se détendent ; les indigènes sont là, sympathiques, un peu timides. Premiers contacts pleins de charme et d'imprévus.

Après deux semaines de halte, les religieuses prennent place dans une barque qui doit les conduire à Québec. La montée durera trois jours. Le seul endroit où les voyageuses peuvent se mettre à couvert est une petite cabine pleine de morue quasi jusqu'au haut, « si bien, écrit sœur Cécile de Sainte-Croix, que nous n'y pouvions tenir que couchées les unes sur les autres, tassées comme du pain au four. » La puanteur du poisson est telle qu'il n'y a pas moyen de séjourner dans cet abri. Aussi, les voyageuses passent-elles leur temps nuit et jour sur le tillac, à la pluie battante. Avant d'atteindre la capitale, le capitaine ménage un arrêt à l'île d'Orléans et allume un grand feu pour faire sécher les habits. Pas suffisamment, puisque sœur Sainte-Cécile se plaindra, une fois rendue, que « notre cotte en demeura plusieurs jours depuis l'arrivée à Québec, sans sécher ».

En touchant la grève, le 1ᵉʳ août 1639, « nous nous mîmes à genoux, et le père Vimont fit une prière pour tous. Nous allâmes droit à l'église ; on chanta le *Te Deum*, entendismes la sainte messe et communiasmes, puis après nous vinsmes saluer monsieur le gouverneur » (Montmagny).

Avant d'entrer dans leurs cloîtres canadiens, les ursulines et les hospitalières firent un tour de ville assez rapide. En 1639, la population de Québec ne dépassait pas 200 âmes. Une bien piètre capitale.

Inventaire des Œuvres d'Art

Une hospitalière.

LA VIE MONASTIQUE

La vie monastique canadienne débutait pauvrement : « Notre logement était si petit . . . que dans une chambre de seize pieds carrés était notre chœur, notre parloir, nos cellules et notre réfectoire. (. . .) L'extrémité des chambres est divisée en cabanes faites d'ais de pin : un lit près de terre, et l'autre est comme au plafond, de sorte qu'il y faut monter avec une échelle. (. . .) Nous voyons à travers le toit reluire les étoiles pendant la nuit, et à peine y peut-on tenir une chandelle à cause du vent. »

Les pionnières de l'évangélisation en pays lointain ont tenu bon malgré tout. L'Hôtel-Dieu de Québec et le monastère des Ursulines n'ont connu aucune baisse de zèle depuis 1639. Un beau record de stabilité que l'histoire doit enregistrer comme une performance unique chez nous.

LA PLUS EXTRAVAGANTE AVENTURE

Quand les ursulines et les hospitalières s'installent à Québec, la Nouvelle-France ne compte encore que deux maigres établissements au Saint-Laurent : Québec et Trois-Rivières. La population totale du pays ne dépasse pas trois cents âmes. Depuis trois ou quatre ans, les habitants ont vu s'ajouter à toutes leurs difficultés matérielles un fléau qui va prendre les proportions d'une catastrophe impitoyable. Les Iroquois ont entrepris de faire payer aux Français l'humiliation des défaites de 1609 et de 1610. Ils ont débuté par des attaques isolées, mais peu à peu leurs bandes envahissent le pays, contrôlent les passages, se dissimulent dans les bois, capturent le bétail, détruisent les moissons, tuent et scalpent ceux qu'ils peuvent surprendre.

Pendant ce temps-là, en France, des âmes d'élite se préparaient à venir fonder un troisième établissement à deux cents milles en haut de Québec, tout près, beaucoup trop près de la rivière Richelieu par où débouchaient les partis d'Iroquois.

La fondation de Montréal présente un phénomène unique dans l'histoire du monde. Cette fois, ce n'est pas l'État qui prend l'initiative, ni un groupe de financiers, ni une compagnie commerciale.

L'idée d'une ville consacrée à Marie vint directement du Ciel. L'ordre en fut donné par la Vierge elle-même, le jour de la Chandeleur 1633. Le récipiendaire du message était un petit percepteur d'impôts, Jérôme le Royer de la Dauversière. Ce brave père de famille était de foi si forte qu'il ne trouva pas anormale, pour un laïque obscur, la mission de fonder un « ordre nouveau de religieuses hospitalières » et d'établir « dans l'île de Montréal, au Canada, un hôpital qui sera desservi par les filles de cet institut ».

La Dauversière ne connaissait du Canada que ce qu'il en avait appris au collège de La Flèche. D'autre part, fonder une communauté religieuse féminine semblait une tâche hors de mesure pour un laïque. M. de la Dauversière accueillit d'un cœur simple l'étrange mandat. Son directeur, le père Étienne, récollet, le rabroua et lui ordonna de couper court à ces pieuses chimères. Il s'inclina. En 1637, le Ciel parla de nouveau. Et il mit sur la route de son élu une femme de bien, Marie de la Ferre, qui parut tout désignée pour prendre la tête de la communauté demandée. Finalement, le père Chauveau, jésuite, qui dirigeait le pieux apôtre à la demande du père Étienne, leva l'interdiction. En 1639, M. de la Dauversière put accomplir sa mission. Il donna à la nouvelle communauté le nom d'Hospitalières de Saint-Joseph.

Monsieur de la Dauversière était membre de la Compagnie du Saint-Sacrement. Des collègues éminents, le baron de Fancamp, Monsieur Olier, le baron de Renty, Monsieur de la Marguerie, organisèrent avec lui la Société de Notre-Dame-de-Montréal (1639).

Dans l'intention des Associés, il s'agissait d'établir une chrétienté ressemblant à l'Église primitive, sans rien demander « ni au roi, ni au clergé, ni au peuple ». Les membres de la Société Notre-Dame-de-Montréal promettaient de ne faire aucun négoce. Leur but était purement la gloire de Dieu et le salut des sauvages. Pas étonnant qu'on ait appelé leur projet « une folle entreprise ».

Tout ne marcha pas aisément, mais M. de la Dauversière ne connaissait ni doute ni lassitude. Infatigable, il vit à tous les détails de l'organisation, au recrutement des volontaires de cette nouvelle croisade, à la recherche des chefs qui la conduiront. La Providence lui en envoya deux : un homme et une femme.

MONSIEUR DE MAISONNEUVE

L'homme s'appelait Paul Chomedey de Maisonneuve. Ce militaire de trente ans était une sorte de « moine laïque ». Il possédait un petit revenu qui suffisait à ses goûts modestes. Il vivait sagement et chastement. Il offrit à Monsieur de la Dauversière de consacrer sa fortune et sa vie à l'œuvre de Ville-Marie, « sans chercher d'autre honneur que de servir Dieu et le roi ».

Que pouvaient espérer de mieux les Associés de Notre-Dame ? Le ciel les comblait.

JEANNE MANCE

La femme qui proposa de se consacrer à l'œuvre de Ville-Marie était âgée de trente-quatre ans. Jeanne Mance rêvait de grandes actions, de services dépassant la commune mesure. Le Canada l'attirait. Sans prévenir du but de son voyage, elle quitta sa ville natale de Langres pour se rendre à Paris, où les jésuites confirmèrent sa vocation canadienne.

Elle est reçue par la reine Anne d'Autriche et par les Dames les mieux en vue de la Cour. L'une d'elles, la très riche et très généreuse Angélique Faure, veuve de Claude de Bullion, surintendant des Finances, décédé en 1640, se prend d'amitié pour Jeanne Mance et assume les charges d'établissement d'un Hôtel-Dieu à Ville-Marie. Elle exige l'anonymat. Jeanne Mance sera l'exécutrice de ses volontés, l'intendante et l'administratrice des sommes versées. Celle qu'on désignera à Ville-Marie sous le titre déférent de « bienfaitrice inconnue » tiendra jusqu'à sa mort (1664) les engagements pris en 1641. Ses largesses répétées assureront la solidité matérielle de l'entreprise et la renfloueront aux heures dures. Sa confiance envers Jeanne Mance restera inaltérable, même dans les moments critiques où la calomnie attaquera la courageuse infirmière.

LES MONTRÉALISTES EN ROUTE

Un premier groupe, dirigé par Jeanne Mance, débarqua à Québec le 12 août 1641. Le reste du contingent, sous la conduite de Maisonneuve, arriva plus tard, trop tard pour songer à s'installer à Ville-Marie avant l'hiver. On remit le projet à l'année suivante.

Monsieur le gouverneur de Montmagny profita de ce délai pour tenter de dissuader Jeanne Mance et Maisonneuve d'installer leurs gens loin de tout secours. Il leur offrit l'île d'Orléans où les colons seraient en sûreté. Maisonneuve rétorqua qu'il était venu pour exécuter non pour discuter. « La Compagnie qui m'envoie ayant déterminé que j'irai à Montréal, il est de mon devoir et de mon honneur d'aller y établir une colonie. »

Les mois d'hiver furent bien remplis. Maisonneuve, le chef, et Jeanne Mance, l'âme dirigeante du groupe, redoutaient l'influence démoralisatrice de l'inaction. Tous deux s'ingénièrent à inventer des passe-temps et des travaux. Jeanne Mance jouissait d'un ascendant irrésistible. Les hommes la respectaient et l'aimaient comme leur mère.

Là-bas, en France, les Associés, maintenant au nombre de trente-cinq, n'oubliaient pas Ville-Marie. Le 27 février 1642, réunis au pied de la Vierge, à Notre-Dame de Paris, ils consacrèrent solennellement le poste à Marie et à la Sainte-Famille. De loin, ils s'unissaient au élans apostoliques de leurs protégés.

Dès la libération printanière du fleuve, tout le monde s'apprêta à monter dans les embarcations, avec les vivres, les outils et les bagages. La flottille comprenait une pinasse à trois mâts, un gabarre à fond plat et deux barques. Elle se mit en branle par un beau matin de printemps, le 8 mai 1642.

Après neuf jours de navigation coupée de haltes nocturnes, les croisés de la Vierge arrivèrent dans la terre promise le samedi, 17 mai 1642.

Le père Vimont fit chanter le *Veni Creator* et célébra la messe.

La « *folle aventure* » de Ville-Marie débute par un jour de mai, le mois de la Vierge.

PREMIER DIMANCHE À VILLE-MARIE

Le dimanche, 18 mai 1642, soixante-six personnes sont groupées dans une clairière, autour d'un autel rustique paré de feuillages et de fleurs. Le père Vimont officie, assisté du père Poncet de la Rivière. Le gouverneur Montmagny est présent ; il occupe la première place, ayant à ses côtés monsieur de Maisonneuve, Jeanne Mance, et la déconcertante madame de la Peltrie, qui a temporairement délaissé les ursulines de Québec pour suivre Jeanne Mance dans sa « folle entreprise ».

Les hommes forment la majeure partie de l'assistance ; notons toutefois la présence de Charlotte Barré, demoiselle de compagnie de madame de la Peltrie ; d'Isabeau Panie, femme de Jean Gory ; de Marie Joly, épouse d'Antoine Damien ; de Catherine Lezeau et de la famille Godé, comprenant Françoise Gadois, son époux, Nicolas Godé, et quatre enfants.

D'ordinaire, en pays neuf, les femmes attendent que le terrain soit déblayé et les maisons construites ; à Ville-Marie, elles sont au poste dès la première heure. Leur présence et leurs prières, en ce beau dimanche marial, ont dû peser dans la balance des faveurs célestes.

APÔTRES LAÏQUES

En repoussoir, l'année qui vit, en son printemps, surgir comme une fleur la cité de Ville-Marie oppose un tableau d'horreur et de sang. Le 29 septembre 1642, en pays iroquois, un jeune laïque, René Goupil, a la tête fracassée à coups de hache. Son compagnon de capture et de torture, le père Isaac Jogues, lui donne la sépulture chrétienne :

« Je baisai avec respect ces saintes reliques, comme d'un martyr de Jésus-Christ . . . tué en haine de la prière et du signe de la croix. »

René Goupil ouvre la liste des « saints martyrs canadiens ».

Le laïcat méritait cette récompense. À partir de Marie Rollet, plusieurs laïques ont participé à la catéchisation des Indiens et à l'administration du baptême. Jean Nicolet, pour sa part, réussissait souvent là où échouaient les missionnaires. Il servit jusqu'à la fin la cause de l'évangélisation. En 1642, il périt dans le fleuve au cours d'une tempête, alors qu'il se hâtait de répondre à un appel des jésuites des Trois-Rivières. Un autre interprète, Thomas Godefroy, sieur de Normanville, édifiait les missionnaires par son zèle, au fort élevé à l'embouchure du Richelieu, à l'été de 1642 : « Il y faisait faire les prières tout haut aux sauvages, au commencement de la messe ; il entend fort bien leur langue. Sur le soir, le père prenait une partie des cabanes et le sieur de Normanville, l'autre, et ainsi on faisait prier tout le monde. » Les *Relations de Jésuites* abondent en témoignages de ce genre.

Outre ces apôtres bénévoles, l'Église eut à son service, à partir de 1639, une élite laïque vouée à l'action catholique. Il s'agit des *donnés*, — tel René Goupil, le martyr de 1642, — qui s'engageaient, sans prononcer des vœux, à servir gratuitement les missionnaires. En retour, les Pères leur assuraient la subsistance leur vie durant. Ces apôtres furent assez nombreux, surtout en Huronie. Une liste du père Ragueneau, en 1649, indique la présence de vingt-trois *donnés* chez les Hurons.

La phalange de nos martyrs canonisés comptera un autre *donné* : saint Jean de la Lande.

LE PÈRE JOGUES

En même temps que le *donné* René Goupil, les Iroquois avaient capturé le père Isaac Jogues. Tous deux avaient été bâtonnés, lapidés, torturés. Quand le malheureux missionnaire put s'échapper, grâce à des marchands hollandais, il n'était qu'une loque misérable, aux mains affreusement difformes, dont les doigts avaient été brûlés dans des calumets ou sectionnés à coups de dents. Les glorieuses mutilations de Jogues émurent la Cour. Anne d'Autriche voulut entendre de sa bouche le récit du long martyre. L'état des mains du religieux constituait un empêchement canonique. Le pape Urbain VIII lui permit de continuer à célébrer la messe, disant : « Il serait indigne de refuser à un martyr du Christ de boire le sang du Christ. » Et Jogues put de nouveau, chaque matin, « traîner sur la pierre sacrée ses tronçons de mains ».

Bien plus, il sollicita la faveur de revenir au Canada dès l'année suivante. Et quand on cherchera un ambassadeur pour aller discuter

de paix dans les Cantons iroquois, Jogues acceptera la mission (1646).
Il courait au martyre. Les négociations tournèrent mal. Le 18
octobre 1646, Jogues le mutilé tomba sous les coups d'un Iroquois
fanatique. Son compagnon, le donné Jean de la Lande, subit le même
sort glorieux, le lendemain 19 octobre.

ASSAUT MASSIF CONTRE LA HURONIE

Les Iroquois n'ont satisfait qu'une partie de leur haine contre les
Blancs et leurs alliés ; ils vont s'en prendre maintenant au château-
fort des missions, la Huronie. Leur projet vise un double but :
assouvir leur fanatisme contre la religion des Francais et couper du
même coup leur meilleure source de ravitaillement en fourrures. Les
Hollandais de la rivière Hudson leur fournissent armes et munitions
et ils approuvent des projets qui servent si bien leurs intérêts commerciaux.

L'effort missionnaire des jésuites s'était concentré sur les tribus
semi-sédentaires habitant le territoire sis à l'est de la baie Georgienne.
Après beaucoup de déboires, ils étaient parvenus à gagner des âmes.
Une résidence commune, le fort Sainte-Marie, abritait, en 1646, dix-
huit religieux et une trentaine de Français, coadjuteurs ou *donnés*.
De ce point central, les pères desservaient les sept ou huit missions
établies aux alentours. La Huronie était isolée, perdue en pleine
forêt, à neuf cents milles de la capitale. Il fallait un mois de canot
pour s'y rendre. Les missionnaires ne pouvaient donc compter sur
du secours rapide. D'ailleurs, au Saint-Laurent, on parvenait tout
juste à se protéger soi-même.

Un assaut de grand style est lancé au début de juillet 1648 : la
bourgade de Saint-Joseph est la première atteinte. Alors que le père
Antoine Daniel célèbre la sainte Messe dans la petite chapelle, des
hurlements déchirent l'air. En bousculade, les assistants sortent de
l'église et courent aux palissades. Trop tard, l'ennemi est là, pour-
chassant, massacrant les Hurons affolés. Sa messe achevée, le Père
Daniel sort, revêtu de ses vêtements sacerdotaux. Il est abattu et
on jette son corps dans l'église en flammes. Il ne reste de lui
aucune relique ; le vent a dispersé ses cendres. Les Iroquois repar-

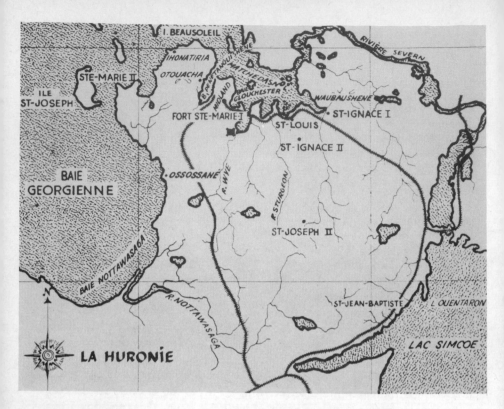

Les missions huronnes.

Le fort Sainte-Marie.

tent satisfaits : ils laissent plus de sept cents cadavres dans les ruines.

De bonne heure en 1649, beaucoup plus tôt que d'habitude, les hordes sanguinaires sont de nouveau en chasse. L'hiver est à peine terminé, qu'elles s'abattent à l'improviste sur la mission Saint-Ignace. Les assaillants sont près d'un millier et les Hurons ne peuvent résister. La plupart périssent. Des fugitifs ont prévenu le père Jean de Brébeuf, qui se trouve à Saint-Louis, à une heure de marche. Le vétéran des missions huronnes, — ses débuts remontent à 1626, — est accompagné d'un jeune missionnaire arrivé quelques mois plus tôt, le père Gabriel Lalemant. Inutile de se défendre : les Iroquois sont bientôt sur place et balaient palissades et cabanes, tuant impitoyablement tous ceux qu'ils peuvent atteindre. Les malheureux Brébeuf et Lalemant sont ramenés à Saint-Ignace pour y être torturés.

Les deux captifs, dépouillés de leurs vêtements, les chairs déjà meurtries de coups, sont attachés au poteau. La prestance de Brébeuf, son calme imperturbable, exaspèrent les bourreaux. Lalemant est frêle, délicat ; il n'est pas endurci à la vie canadienne comme son aîné. On le réserve pour la fin. Les raffinements de cruauté dont le père de Brébeuf est l'objet dépassent l'imagination. Ses bourreaux lui enfoncent des alènes rougies dans les muscles ; à coups de couteau, ils lui tailladent les lèvres, lui ouvrant la bouche jusqu'aux oreilles ; son nez est arraché ; les barbares enlèvent des lambeaux de chair qu'ils dévorent ; par dérision, ils le baptisent avec de l'eau bouillante, puis lui passent au cou un collier de haches chauffées à blanc ; une ceinture d'étoupe en flammes encercle sa taille et brûle les chairs endolories.

L'héroïque Jean de Brébeuf supporte son martyre avec stoïcisme. Finalement, on l'achève d'un coup de couteau.

Les affreux tortionnaires passent ensuite au malheureux Lalemant. Le supplice du chétif missionnaire dura dix-sept heures. La mort vint le délivrer le 17 mars 1649.

Des fuyards avaient cherché refuge à Saint-Jean. Le père Charles Garnier les exhortait à la confiance et à la soumission aux volontés divines. Après des mois de terreur, ils reprenaient confiance, quand, le 7 décembre, les Iroquois survinrent. Blessé d'une balle au ventre, le Père Garnier se traîna vers les Hurons blessés pour les récon-

Mort glorieuse

Saint René Goupil *(29 septembre 1642)*   Saint Jean de la Lande *(19 octobre 1646)*
Saint Isaac Jogues *(18 octobre 1646)*   Saint Antoine Daniel *(4 juillet 1648)*

es martyrs Jésuites

Saint Jean de Brébeuf (16 mars 1649) Saint Charles Garnier (7 décembre 1649)
Saint Gabriel Lalement (17 mars 1649) Saint Noël Chabanel (8 décembre 1649)

forter ; un Iroquois lui fracassa la tête d'un coup de massue. Le lendemain, une autre victime, le père Noël Chabanel, est sacrifiée. Le religieux tombe sous les balles d'un Huron apostat qui jette son corps dans les rapides d'une rivière. Ainsi se clôt le martyrologe de la Huronie, le 8 décembre 1649.

Au début de l'été 1650, le Père Ragueneau ramena à Québec les tristes restes de la Huronie, réduite à quelques centaines de malheureux. Les missions, qui avaient coûté tant de sacrifices et qui donnaient tant d'espoir, sont anéanties.

Au cours de leurs vingt années d'apostolat, les jésuites avaient baptisé quelques milliers de païens ; dix mille affirme l'abbé Gosselin, mais la plupart l'avaient été à l'article de la mort, ce qui fera dire à Monseigneur de Laval que les missions de la Huronie avaient « procuré plus d'habitants à l'Église triomphante qu'à l'Église militante ».

LA NOUVELLE-FRANCE INVESTIE

L'anéantissement de la nation huronne enlevait aux Français leurs meilleurs alliés et débarrassait les marchands hollandais et anglais de leurs principaux compétiteurs. Jusque-là, les pelleteries du nord ou de l'ouest avaient été canalisées vers les comptoirs du Saint-Laurent par l'intermédiaire des Hurons et des Algonquins. À l'avenir, les Iroquois prendront la place des Hurons disparus et ils feront converger les précieuses peaux vers Albany.

L'opération Huronie était une bonne affaire pour les rivaux de la France. Sans castor, pas d'argent ; sans argent, ni vivres ni marchandises. C'était la mort lente pour la colonie française.

Il devait suffire ensuite d'un effort concerté pour débarrasser le Saint-Laurent de ses quelques centaines de Français. Les trois seuls postes existants : Québec, Trois-Rivières et Ville-Marie, étaient trop éloignés pour se protéger mutuellement, et trop faibles pour opposer une résistance sérieuse.

Si les Iroquois avaient lancé des attaques massives, on ne sait ce qui serait arrivé. Ils préférèrent la tactique de l'émiettement, du grignotement. De peine et de misère, la débile colonie réussira à tenir jusqu'à l'envoi tardif de secours en 1665.

« TOUJOURS DANS L'INQUIÉTUDE »...

À partir de 1650, les Iroquois concentrent leurs assauts sur les postes du Saint-Laurent. Ville-Marie et Trois-Rivières sont leurs cibles préférées. Sauf durant les mois d'hiver, la population de ces deux bourgs vit dans une angoisse perpétuelle. On n'ose plus sortir ; les hommes qui vont chasser, pêcher ou faire un peu de culture pour empêcher leur famille de mourir de faim, ne sortent qu'armés. Cette précaution ne suffit pas. Des Iroquois tapis dans les broussailles guettent partout des proies.

Pierre Boucher, commandant aux Trois-Rivières, écrit : « Une femme est toujours dans l'inquiétude que son mari, qui est sorti le matin pour son travail, soit pris ou tué, et que jamais elle ne le revoie. » De 1650 à 1653, les Iroquois capturent ou abattent trente-huit hommes dans la seule région des Trois-Rivières. Le tiers de la population totale.

À l'été de 1653, six cents sauvages sont disséminés dans la forêt avoisinant Trois-Rivières. Ils se tiennent à l'affût pendant plusieurs semaines, puis, certains d'emporter la faible redoute, ils montent à l'assaut, le 23 août. Pierre Boucher commande quarante-six hommes, la moitié de la population. Les Iroquois n'ont pas l'habitude des batailles ouvertes. En moins d'un quart d'heure, Pierre Boucher fait tirer plus de vingt coups de canon ; les arquebuses lancent, elles aussi, des pétarades bruyantes. Le bruit, la fumée, les clameurs, effraient les assaillants, qui se replient vers les fourrés voisins. La petite troupe de Boucher resta sous les armes toute la nuit. Les Iroquois « désespérant de nous pouvoir ni prendre ni surprendre », déguerpirent à la faveur des ténèbres... Le gouverneur Lauzon récompensa Pierre Boucher en le nommant gouverneur des Trois-Rivières. « Que vous avez eu de bonheur, lui écrivit-il, d'avoir si bien conservé votre poste, car si les ennemis eussent pris les Trois-Rivières, tout le pays était perdu. »

LA RECRUE DE 1653

À Ville-Marie, on ne respire pas plus à l'aise qu'aux Trois-Rivières. À la terreur permanente de la guerre d'escarmouches, s'ajoutent des

Toujours dans l'inquiétude.

inquiétudes d'un autre ordre, mais non moins pénibles. Les protecteurs français semblent avoir oublié leur ville sainte. Sur les quarante-
cinq membres de la Société Notre-Dame de Montréal, neuf à peine
restent fidèles. Jeanne Mance passe en France, réveille les ferveurs
endormies, informe madame de Bullion et monsieur de la Dauversière de
la situation tragique de Ville-Marie, puis revient en hâte au pays (1650).
Elle retrouve les Montréalistes plus inquiets que jamais. La
garnison est réduite à dix-sept hommes valides. Maisonneuve se
demande s'il a le droit de laisser se poursuivre une entreprise vouée à
l'anéantissement. Mais les femmes ont plus de résistance morale
que les hommes. Jeanne Mance ranime le courage du commandant
et elle le décide à se rendre en France pour y lever des recrues ; à cet
effet, elle lui remet une somme considérable, prise à même le fonds
constitué pour la subsistance de l'hôpital de Ville-Marie, construit
en 1645. Maisonneuve se laisse convaincre et il s'embarque en 1651.

Madame de Bullion, messieurs Olier et de la Dauversière ont
gardé leur ferveur canadienne. Ils accueillent Maisonneuve avec
sympathie et appuient sa campagne de recrutement. En deux ans
de propagande soutenue, on recueille cent vingt adhésions. Marguerite
Bourgeoys est du nombre. La traversée lui donnera un avant-goût
de la vie canadienne. Le bateau est durement secoué dès le départ ;
une voie d'eau le force à rebrousser chemin, après une course d'une
centaine de lieues. Réparé tant bien que mal, il repart, délesté de
quelques déserteurs. Le voyage dure deux mois ; les épidémies
coutumières sévissent, atteignant marins et voyageurs. Une dizaine
de décès endeuillent la traversée. Seule avec une fillette, Marguerite
Bourgeoys va d'un malade à l'autre, remonte les courages, dispense des
soins. On arrive enfin à Québec le 22 septembre. La toute récente
victoire de Pierre Boucher a rétabli temporairement la confiance.
Retardée par la construction de barques, la recrue n'atteint Ville-
Marie qu'à la mi-novembre. Les cent hommes amenés par Maisonneuve sont reçus comme des sauveurs.

MARGUERITE BOURGEOYS

Le personnage le plus remarquable du contingent de 1653 est
une jeune femme de Troyes, Marguerite Bourgeoys. Elle s'en vient

à Ville-Marie pour payer de sa personne et participer à l'ardent apostolat qui anime les serviteurs de la Vierge. Elle est prête à tout. Son rêve secret est de grouper des apôtres pour assurer l'éducation chrétienne des enfants. En attendant que ses projets se réalisent, elle fait du service social avant la lettre. Elle assiste Jeanne Mance dans son rôle d'infirmière, visite et console les malades, catéchise les colons, exécute des travaux de ménage pour Monsieur de Maisonneuve et organise des pèlerinages à la croix du Mont-Royal, relevée par son zèle. Au printemps de 1657, elle met en chantier un temple dédié à Marie dans sa glorieuse Assomption ; ce sera la chapelle Notre-Dame de Bon Secours. Elle n'en verra l'inauguration que vingt et un ans plus tard, en 1678.

Le 30 avril 1658, son rêve apostolique devient une réalité. Dans une étable mise à sa disposition par Maisonneuve, elle reçoit ses premiers élèves, une douzaine de fillettes et de garçons de cinq à neuf ans. Elle exulte. Mais il lui faut des compagnes : elle va en chercher en France et ramène Catherine Crolo, Edmée Chastel et Marie Raisin (1659).

Marguerite sait où elle va. Les autorités religieuses l'apprendront bientôt.

HÉROÏSMES FÉMININS

Les femmes qui ont vécu les années d'horreur et de sang dont nous parlons ont droit au titre d'héroïnes, tout simplement parce qu'elles ont tenu bon. « Elles auraient pu se reprendre, fuir une vie qui s'était imposée à elles avec des exigences inhumaines. On avait vu des hommes se dégoûter des sacrifices journaliers, regagner Québec et la France. Ce pays déshérité de toutes les commodités où elles étaient venues dans la fleur de leurs ans leur avait fait certainement horreur dans ses débuts ; elles n'étaient point retournées en arrière, mais, se faisant une raison et mortifiant leurs inclinations, elles avaient fini par l'aimer et l'adopter » (Dom Jamet).

Leur force d'âme s'alimentait à bonne source. Les maisons rustiques de Québec, des Trois-Rivières et de Montréal, ressemblaient à des oratoires, tellement la population se sentait en dépendance absolue du Ciel. À Ville-Marie, « chaque habitation avait été placée sous la protection d'un saint, et tous les jours, matin et soir, le chef de

famille, entouré des siens, récitait à haute voix la prière suivie de l'examen de conscience » (Sœur Morin).

La *Relation* de 1651 signale l'édifiante piété des Trifluviens qui ont dressé dans chaque maison un petit oratoire marial. « L'un était dédié à Notre-Dame de Lorette, l'autre à Notre-Dame de Liesse, les autres à Notre-Dame des Vertus, de Bon Secours, de Bonne Nouvelle, de la Victoire, et à quantité d'autres titres sous lesquels on honore la sainte Vierge en divers lieux de la chrétienté. C'était une dévotion ordinaire à ces pauvres habitants d'aller visiter ces petits oratoires en divers jours de la semaine, principalement les samedis, que le concours était plus grand, et en chaque maison, matin et soir, tout le monde se rassemblait pour y faire les prières en commun, l'examen de leur conscience et pour y dire les litanies de la très sainte Vierge. »

À vivre dans un pareil climat, les âmes atteignaient des sommets inaccessibles au commun des mortels. À preuve les cas suivants.

CATHERINE MERCIER LA SUPPLICIÉE

Un jour de mai 1651, à Ville-Marie, Catherine Mercier est surprise par un parti d'Iroquois. Son époux, Jean Boudard, se précipite à son secours, mais il est abattu sous les yeux de sa femme. On lui tranche la tête. Catherine est réservée pour la torture dans les cantons iroquois. Écoutons le père Ragueneau raconter ses souffrances : « . . . elle a été brûlée cruellement par ces barbares, après qu'ils lui eurent arraché les mamelles, qu'ils lui eurent coupé le nez et les oreilles, et qu'ils eurent déchargé sur cette pauvre brebis innocente le poids de leur rage. (. . .) Dieu donna du courage et de la piété à cette pauvre femme ; au milieu des tourments, sans cesse elle implorait son secours. Ses yeux furent collés au ciel et son cœur fut fidèle à Dieu jusqu'à la mort. En expirant, elle avait encore à la bouche le nom de Jésus, qu'elle invoqua aussi longtemps que durèrent ses peines. »

MARTINE MESSIER

À Ville-Marie également, Martine Messier, épouse d'Antoine Primot, travaillait dans un champ quand trois Iroquois tombèrent sur elle à l'improviste. Tout en appelant au secours, elle se défendit comme une lionne avec ses pieds et ses mains. Mais laissons ici la parole au pittoresque Dollier de Casson : « Après trois ou quatre coups de hache, elle tombe cependant par terre, et alors un de ces iroquois, la croyant morte, se jette sur elle pour lui enlever sa chevelure et s'enfuir avec cette marque de trophée. Mais cette femme vraiment forte, se sentant saisir, reprend tout à coup ses sens, se relève, et, plus furieuse qu'auparavant, elle saisit cet assassin avec tant de violence qu'il ne peut se dégager de ses mains, quoiqu'il continuât, durant ce temps, de lui décharger des coups de hache sur la tête. Enfin, elle tombe de nouveau par terre évanouie, et, par sa chute, donne à son assassin la liberté de s'enfuir. (. . .)

« Les Français, qui venaient au secours de Martine Messier, la voyant baignée dans son sang, l'aident à se relever ; et dans ce moment même l'un d'eux l'embrasse par un sentiment de compassion. Mais cette femme, en qui la vertu n'était point inférieure au courage, revenant à soi, décharge à l'instant un rude soufflet sur ce charitable auxiliaire, bien qu'il n'eût agi en cela que dans de très pures intentions. Les autres, surpris d'un accueil si peu gracieux : « Que faites-vous donc lui disent-ils ; cet homme vous témoigne son affection par esprit de compassion et de charité ; pourquoi donc le frappez-vous de la sorte ?

« Parmenda, répond-elle à l'instant, se servant du patois de son pays, je croyais qu'il voulait me baiser ! »

Elle garda, le reste de sa vie, le surnom honorable de Parmenda. Pourquoi Parmenda Messier ne serait-elle pas proposée comme modèle aux femmes d'aujourd'hui ? En plus du courage qu'elle partage honorablement avec l'illustre Madeleine de Verchères, elle incarne une forme de vertu qui pourrait rendre service à notre époque.

ÉLISABETH MOYEN

L'épouse de l'héroïque et légendaire Lambert Closse connut très tôt la souffrance. Elisabeth Moyen avait quatorze ans quand les Iroquois attaquèrent, au cours du mois de juin 1655, la maison de ses parents située sur l'île aux Oies, à trente-cinq milles en bas de Québec.

Jamais les bandes ennemies n'avaient porté leurs coups si loin de leur centre habituel d'opérations. Aussi, la maisonnée entière vivait en pleine sécurité. Il y avait là, outre Jean-Baptiste Moyen de la Grange et sa femme Élisabeth Lebret, la jeune Élisabeth, sa sœur Marie, âgée de huit ans, et deux cousines Marie et Geneviève Macard, petites-filles de Guillaume Couillard, respectivement âgées de huit et six ans. L'attaque prit les parents par surprise. Ils furent abattus. Les assaillants, après avoir pillé la maison, embarquèrent les quatre fillettes dans leurs canots et remontèrent le fleuve en triomphateurs, sans se cacher. Devant Québec, ils insultèrent et provoquèrent la population du fort. Personne n'osa riposter. Même jeu sinistre aux Trois-Rivières et même attitude impuissante de la garnison. À Ville-Marie, il en fut autrement. Lambert Closse et Charles LeMoyne eurent recours aux tactiques indiennes. Ils réussirent à surprendre et à capturer quelques chefs iroquois, ce qui leur permit de négocier l'échange des quatre petites filles terrorisées.

Jeanne Mance prit les fillettes sous sa protection. Leur sauveur était toujours bien accueilli, lorsqu'il venait les visiter. Tellement que la jeune Elisabeth devint madame Lambert Closse. Elle vécut heureuse durant cinq ans auprès du héros aimé et admiré. En 1662, s'abattit sur elle le malheur dont la menace pesait jour et nuit sur l'heureux foyer. Lambert Closse tomba victime des Iroquois qu'il avait si souvent humiliés. Sa veuve resta fidèle à son souvenir.

BARBE POISSON COURT VERS LES ENNEMIS

Barbe Poisson a droit, elle aussi, à notre admiration affectueuse. Au cours d'une attaque contre Ville-Marie, en fin de février 1661, Charles LeMoyne et quelques colons allaient succomber quand Barbe Poisson vola à leur secours avec une brassée d'armes et des munitions. « . . . Sans craindre une nuée d'Iroquois qu'elle voyait inonder de toutes parts jusqu'à sa maison, elle courut au devant de nos Français qui étaient poursuivis, et surtout au devant de monsieur LeMoyne qui avait quasi les ennemis sur ses épaules et prêts de le saisir ; étant arrivée à lui, elle lui remit ses armes, ce qui fortifia merveilleusement tous nos Français et retint nos ennemis. (. . .) Cette amazone mérita bien des louanges d'avoir été si généreuse à secourir les siens et à leur donner un moyen si nécessaire pour atteindre une plus grande assistance » (Dollier de Casson).

LES SULPICIENS À VILLE-MARIE

En décembre 1641, Monsieur Olier, un des principaux collaborateurs de La Dauversière, avait établi la Société des Prêtres de Saint-Sulpice. Monsieur Olier avait demandé la grâce de servir lui-même au Canada. Ce privilège sera réservé à ses fils spirituels.

Avant de rendre le dernier soupir dans les bras de saint Vincent de Paul (2 avril 1657), Monsieur Olier désigna quatre Sulpiciens pour Ville-Marie : Messieurs de Queylus, Souart, de Galinier et d'Allet. Ces « Messieurs » prirent charge de la paroisse de Montréal en novembre 1657.

La Société Notre-Dame de Montréal, propriétaire de l'île et de la petite cité mariale, comprenait que le moment approchait où il faudrait entrer dans le droit commun et passer sous la juridiction ordinaire des autorités civiles et des autorités religieuses.

Les Associés avaient présenté à l'Assemblée du Clergé français, dès 1646, un projet d'évêché, offrant la moitié de l'île de Montréal avec tous les droits et revenus seigneuriaux. Ils avaient déclaré au cardinal-ministre Mazarin que le candidat le plus apte à devenir le premier évêque de Montréal et de la Nouvelle-France était l'abbé Thomas Legauffre.

Le projet n'eut pas de suite. Les Messieurs de Saint-Sulpice deviendront propriétaires de l'île, par cession, en bonne et due forme, de la part de la Société française de Notre-Dame de Montréal (1663). Ville-Marie cessera d'être un fief indépendant. Après avoir été durant vingt ans une cité mystique, elle deviendra le centre commercial de la colonie. Son climat spirituel y perdra en pureté et en intensité.

LES HOSPITALIÈRES DE SAINT-JOSEPH

À la fin de janvier 1657, Jeanne Mance s'était rompu un bras en tombant sur la glace. La fracture mal réduite la laissa invalide.

Comment pouvait-elle, dans ces conditions, poursuivre sa tâche d'infirmière ? Elle résolut de passer en France et de ramener des Hospitalières de La Flèche afin d'assurer le maintien de l'Hôtel-Dieu. Cette démarche s'imposait d'autant plus que M. de Queylus faisait pression pour confier l'institution montréalaise aux Hospitalières de Québec.

Jeanne Mance partit à l'automne 1658, accompagnée de Marguerite Bourgeoys. À Paris, les chirurgiens confirmèrent le diagnostic pessimiste : avec son bras incurable, Jeanne devait renoncer au soin des malades. Elle hâta les démarches auprès des Hospitalières de La Flèche.

Au cours des négociations, survint un événement miraculeux. Le jour de la Chandeleur 1659, jour que la Vierge avait choisi jadis pour parler à M. de la Dauversière, Jeanne Mance obtint la faveur de prier au tombeau de Monsieur Olier. Elle posa sur son pauvre bras infirme l'urne où était conservé le cœur du fondateur des Sulpiciens. Instantanément la douleur et la rigidité disparurent. La nouvelle de cette guérison courut tout Paris. Jeanne Mance connut un moment de popularité encombrante. On se pressait sur son passage, on dérobait des morceaux de sa robe pour en faire des reliques. Elle dut se résigner à ne sortir qu'en voiture.

Cette popularité l'aida à vaincre les résistances qui menaçaient d'empêcher le départ des religieuses fléchoises. Leur évêque s'opposait ; M. de la Dauversière, agonisant, ne pouvait plaider leur cause. À la fin de mai, tout s'arrangea. La Dauversière recouvra une partie de ses forces et l'évêque d'Angers leva son veto. Il ne restait qu'à contenir la populace hostile. Des gentilshommes armés durent escorter et protéger les partantes. Enfin, les religieuses parvinrent au port de La Rochelle.

Le 2 juillet 1659, le vaisseau appareilla, ayant à son bord, trois hospitalières ainsi que les compagnes de Marguerite Bourgeoys. Deux communautés nouvelles qui s'en allaient offrir leur dévouement à la colonie. Sur le quai, un sexagénaire miné par les épreuves et la maladie suivait d'un œil mouillé le vaisseau qui amenait les saintes femmes vers le Canada. M. de la Dauversière pouvait partir ; son œuvre était accomplie. Il mourut quelques semaines plus tard, le 6 novembre.

Jeanne Mance, Marguerite Bourgeoys et M. de la Dauversière appelant les bénédictions du ciel sur les religieuses en partance pour Ville-Marie.

Les trois religieuses désignées pour l'Hôtel-Dieu arrivèrent le 29 septembre à Ville-Marie. Sœur Judith Moreau de Brésolles, supérieure, sœur Catherine Macé et sœur Marie Maillet devenaient Montréalaises d'adoption à un moment où le sort même de la colonie semblait gravement menacé.

MONSEIGNEUR DE LAVAL

En dépit de la tragique incertitude d'une situation presque désespérée, on continue d'édifier avec sérénité la branlante colonie.

Peu après le renfort sulpicien, et quelques semaines avant l'arrivée des hospitalières de Saint-Joseph, la Nouvelle-France reçut, en 1659, un secours précieux. Rome lui envoya un chef spirituel dans la personne de Mgr François de Montmorency Laval, nommé vicaire apostolique de la colonie.

Le prélat est dans la force de l'âge, 36 ans. Il vient d'un milieu aristocratique et il a fréquenté des collèges auxquels le Canada primitif doit beaucoup, La Flèche et Clermont. Il y a connu des jésuites qui l'ont intéressé aux missions canadiennes. Il est membre de la Compagnie du Saint-Sacrement et a séjourné à l'Ermitage de Caen, dirigé par un laïque célèbre, M. Jean de Bernières Louvigny, dont on a signalé le rôle comme complice de l'astucieuse Mme de la Peltrie.

Mgr de Laval est un homme de science et de vertu solides. Il en impose par son attitude austère, sa haute stature, ses manières distinguées. Il possède vraiment les caractéristiques des grands chefs. La Nouvelle-France est privilégiée.

Sacré évêque le 8 décembre 1658, à Paris, Mgr de Laval s'embarque de bonne heure en 1659. Le 16 mai, il débarque à Percé et y passe trois jours, au cours desquels il administre la confirmation à 130 Français et Indiens.

Un mois plus tard, le 16 juin, Québec l'accueille triomphalement, au son des cloches, des canons et de la fanfare. Il est maintenant à son poste, prêt à l'action, en cette année 1659, chargée de lourdes menaces. Les Iroquois resserrent de plus en plus leur étreinte et des rumeurs font planer la crainte d'un grand coup pour l'année 1660.

D'un rapide coup d'œil, le pasteur prend conscience de l'état précaire du pays. La population est prisonnière de la forêt ; les deux mille habitants répartis dans les trois postes du Saint-Laurent sont mal défendus, trop éloignés les uns ces autres, démoralisés par la guerre d'émiettement des Iroquois.

Sans tarder, Monseigneur de Laval visite les postes les plus accessibles. L'année suivante, il se rend en canot aux Trois-Rivières et à Ville-Marie. Cette tournée le confirme dans ses inquiétudes. Sans une intervention rapide de la France, tout croulera à très brève échéance. Il importe d'alerter le roi au plus tôt.

DOLLARD DES ORMEAUX

Au printemps 1660, les 370 habitants du poste de Montréal saluèrent sans beaucoup d'enthousiasme la venue des beaux jours qui allaient ramener les hordes iroquoises. Ils appréhendaient des assauts auxquels ils ne pourraient résister longtemps. Les plus impétueux réclamaient une activité vigoureuse, une prise d'initiative. Plus sage, Maisonneuve ne voulait pas risquer ses hommes contre des ennemis nombreux, souples, insaisissables. Il donna toutefois son assentiment à une poignée de francs-tireurs commandés par Dollard des Ormeaux.

Ils partent dix-sept. Ils ignorent ce qui les attend ; leur but est d'aller guetter les Iroquois et de les harceler aux passages difficiles. Il s'agit de payer les ennemis avec leur propre monnaie : l'embuscade et les attaques-surprises. L'entreprise comporte des risques sérieux. Aussi, les participants dictent-ils leurs dernières volontés et se mettent-ils en règle avec leur conscience. Chacun prend ses responsabilités : « désirant aller en parti de guerre avec le sieur Dollard des Ormeaux, j'institue — en cas que je vienne à mourir dans cette expédition — un tel, héritier de tous mes biens, etc. . . . » Tous s'engagent à « combattre jusqu'à la mort » et à ne « jamais reculer devant l'ennemi ».

Le 1er mai, ils sont au lieu choisi. Au pied des rapides du Long-Sault, sur l'Outaouais, un campement délabré est transformé en forteresse sommaire. L'endroit est favorable aux embuscades. À condition que les partis iroquois n'arrivent pas trop nombreux à la fois.   La présence du petit contingent est vite signalée et, bientôt, une véritable armée entoure le fortin.   Les Français, surpris sur la grève, se replient en vitesse, abandonnant leurs ustensiles de cuisine au bord de l'eau.   Trois cents guerriers tentent l'assaut, mais les assiégés les repoussent à trois reprises.   Ce que voyant, les Iroquois se replient à peu de distance et empêchent toute sortie de ravitaillement. Pendant ce temps, des émissaires courent demander secours aux Iroquois massés sur la rivière Richelieu.   Il en vient quelques centaines, portant l'effectif total à plus de 700.   Les forces sont trop disproportionnées.   La troupe de Dollard n'a qu'à se rendre ou à périr.

Les soldats de Dollard tinrent leur promesse de « combattre jusqu'à la mort ».   Pas un ne sortit vivant de la terrible et magnifique aventure.

L'exploit de Dollard fit ajourner les projets de destruction de la colonie.

PIERRE BOUCHER CHEZ LOUIS XIV

L'année qui suivit l'héroïque fait d'armes de Dollard fut particulièrement cruelle.   On estime à soixante-dix le nombre des victimes de l'année 1661.   Le gouverneur d'Avaugour, arrivé à Québec le 30 août 1661, saisit le tragique de la situation : il délègue immédiatement un émissaire auprès du roi.

Pierre Boucher, gouverneur des Trois-Rivières, est choisi pour cette mission délicate.   Fils d'un paysan-menuisier, l'émissaire du gouverneur connaît bien le pays.   Il y vit depuis vingt-six ans et y a tenu tous les rôles : employé des Jésuites en Huronie, interprète, soldat, colon, commandant de poste et gouverneur du bourg le plus maltraité par les partis de guerre iroquois.

Boucher quitta Québec le 22 octobre 1661.   L'homme formé à la dure vie des bois aurait pu se sentir dépaysé parmi les courtisans enrubannés et poudrés.   Il fit bonne figure et le jeune roi le reçut gentiment.

Louis XIV ne pouvait être mieux disposé à entendre l'appel de la Nouvelle-France.   La mort de Mazarin venait de le libérer d'un trop encombrant ministre et il avait décidé qu'à l'avenir il conduirait seul

les destinées de la France. L'Espagne, sa rivale européenne la plus
redoutable, était acculée à la défaite. Louis XIV se trouvait, à
vingt-trois ans, le monarque le plus puissant de l'univers.

Sauver la Nouvelle-France était chose facile et séduisante.
Ce serait peut-être le point de départ d'une mainmise française sur le
Nouveau-Monde, y compris l'Amérique méridionale où l'Espagne
possédait un riche empire.

Louis XIV promit à Pierre Boucher d'envoyer des colons et un
premier renfort de quatre cents soldats. Le 27 septembre 1662,
l'émissaire rapporta ces bonnes nouvelles à Québec. Il avait lui-même
levé une centaine de recrues. Le gouverneur d'Avaugour le reçut
de façon assez déconcertante, si on en croit le témoignage de Boucher
lui-même : « Après avoir rendu compte de ma mission à M. d'Avaugour, et de ce que le Roy lui envoyait cent soldats avec des vivres et
des munitions, je luy dis aussi que j'avais emprunté de l'argent pour
lever cent hommes de travail. (. . .) J'ajoutai qu'il était mort, pendant la traversée, plus de soixante hommes tant soldats que travaillants. Il me répondit : « Je ne m'embarrasse point de cette affaire,
tirez-vous en comme vous pourrez. »

Malgré cette rebuffade, Pierre Boucher eut le chic de préparer
pour Colbert un mémoire enthousiaste, à la fois prospectus de propagande et panégyrique, dans lequel il donnait une description flatteuse
du Canada et énumérait les nombreux avantages qu'il offrait aux
colons sérieux. Le manuscrit de cet ouvrage est daté des Trois-
Rivières, le 8 octobre 1663 ; dédié à Colbert, il s'intitule : *Histoire
véritable et naturelle des mœurs et productions du pays de la Nouvelle-
France*. Il fut imprimé pour la première fois à Paris en 1664.

Au cours de l'année 1663, la Nouvelle-France est débarrassée
de la tutelle des Compagnies de Commerce. Elle passe sous le contrôle
direct de la Couronne et sera administrée à l'avenir par un Conseil
souverain, composé du gouverneur du Canada, de l'évêque, et de cinq
conseillers nommés par eux.

DÉMARCHES DE Mgr DE LAVAL

Quelques mois après les entrevues accordées à Pierre Boucher,
Louis XIV donnait audience à un autre Canadien d'adoption, Mgr de

Laval. À peine arrivé à Québec, le pasteur avait compris, lui aussi,
que la Nouvelle-France agonisait. Les alliés indiens, Algonquins et
Hurons, étaient réduits à quelques unités. Les Iroquois avaient
anéanti ces tribus jadis puissantes. Une autre nation, celle des
Outaouais, avait pris leur place dans l'alliance française. L'évangélisation repartait presque à zéro. Il fallait aussi secourir au plus tôt
les trois îlots d'humanité incrustés de façon précaire en bordure du
fleuve, à Québec, Trois-Rivières et Ville-Marie. Au point de vue
moral, le commerce des pelleteries avait introduit des abus révoltants.
Blancs et Indiens y perdaient leur dignité et leur santé. Il fallait
remédier à ce mal. Le jeune évêque avait grand souci du sort spirituel
des 2 500 Français et Canadiens qui venaient de traverser une période
bouleversante. C'est pour eux surtout qu'il vient plaider, c'est à eux
surtout qu'il pense dans ses projets de rénovation religieuse.

Louis XIV accueillit Mᵍʳ de Pétrée avec bienveillance. Il
exauça toutes ses demandes. La vente des spiritueux sera interdite
sous les peines les plus rigoureuses ; pour n'avoir pas soutenu l'évêque
dans son opposition à la traite de l'eau-de-feu, M. d'Avaugour sera
rappelé ; le Vicaire apostolique obtient pouvoir d'organiser les paroisses et la perception de la dîme recevra la sanction civile ; le roi
approuve enfin la fondation d'un séminaire. Il réitère aussi la promesse de secours militaires et civils faite à Pierre Boucher.

Québec salua le retour de Mᵍʳ de Laval le 15 septembre 1663.
Depuis le début de février, un tremblement de terre à répétition avait
secoué la Nouvelle-France. Une terreur salutaire tenait les consciences
en disponibilité généreuse.

Le 10 octobre 1663, Mᵍʳ de Laval fit enregistrer par le Conseil
souverain l'ordre d'érection du Séminaire de Québec, l'établissement
de la dîme et le renouvellement des sévérités pénales contre les ven-
deurs de boissons alcooliques.

LA NOUVELLE-FRANCE DE 1664

L'embryon de pays qui va bénéficier de la haute protection royale
n'est encore, en 1664, qu'une toute petite collectivité humaine d'un
peu plus de 2 550 âmes. Sur ce chiffre, la moitié environ est de

naissance canadienne. Après cinquante-six ans d'occupation française, la Nouvelle-France reste confinée à un chiffre ridicule : à peine l'équivalent d'une paroisse rurale moderne. La région de Québec est la plus peuplée : 1 600 âmes ; aux Trois-Rivières, environ 400 ; Montréal, 500.

Pour cette minuscule population, 16 jésuites et 10 prêtres séculiers assurent les services du ministère et de l'évangélisation. Deux communautés de femmes se dévouent à Québec : les Ursulines, au nombre de 16, et les Hospitalières, comptant 15 religieuses. Montréal est desservi par les Hospitalières de Saint-Joseph et par les pieuses laïques de Marguerite Bourgeoys qui formeront bientôt les éléments de notre première communauté canadienne.

Jusque-là, la France officielle a donné à sa fille du Canada un peu plus d'un millier de sujets. C'est maigre ! La contribution des mamans canadiennes dépasse en nombre celle de la Mère Patrie. La France avait trouvé moyen, pourtant, d'envoyer aux Antilles, durant la même période, plus de 7 000 colons. Et l'Angleterre, dont les contingents s'étaient fixés sur la rive atlantique, comptait, à la même époque, plus de 80 000 coloniaux en Amérique.

III

ESSOR
1665-1682

* *Sept années réconfortantes (1665-1672)*

1665. Arrivée du régiment de Carignan, du marquis de Tracy et de Jean Talon.

1666. Premier recensement : 3 215 habitants.

— Population des colonies anglaises : 80 000.

1672. Jean Talon retourne en France.

1673. Population : 6 700.

* *Expansion (1672-1682)*

1671. Saint-Lusson au Sault-Sainte-Marie.

1672. Le père Albanel à la baie d'Hudson.

1673. Jolliet et Marquette au Mississipi.

1680. Population : 9 800.

1682. Cavelier de la Salle au golfe du Mexique.

* *Grandeurs et misères (1659-1682)*

1665. Confrérie de la Sainte-Famille.

1670. Retour des récollets.

1672. Érection canonique de la Congrégation de Notre-Dame.

1672. Mort de Marie de l'Incarnation.

1674. Création du diocèse de Québec.

1682. Disgrâce de Frontenac.

Jean Talon.

Inventaire des Œuvres d'A

Sept années réconfortantes...

(*1665-1672*) Les modifications administratives
de 1663 et les promesses de secours
de Louis XIV ne prirent plein effet qu'en 1665. Les
Canadiens, terrorisés depuis un quart de siècle, crurent
rêver lorsqu'arrivèrent les premiers militaires du
régiment de Carignan. La venue du haut personnel
administratif ajouta à l'enthousiasme de la population.
Une figure domine le septennat qui s'ouvre en 1665,
celle de Jean Talon. Cet homme exceptionnel a vu
et pesé tous les problèmes ; à tous, il a trouvé une
solution.

Marguerite Bourgeoys initie les « filles du Roi » aux tâches familiales.

LA MERVEILLEUSE ANNÉE 1665

L'ANNÉE 1665 prend un visage de résurrection, après les années de terreur et de sang que vient de traverser la Nouvelle-France. Depuis deux ans, les vaisseaux du roy ont bien amené quelques centaines de colons, mais les troupes promises n'arrivaient toujours pas. Or les habitants attendaient surtout avec impatience les militaires qui devaient les débarrasser des Iroquois. On y rêvait nuit et jour à ces soldats.

Les premiers contingents arrivèrent les 18 et 19 juin 1665. Ces jours-là, quatre compagnies du régiment de Carignan-Salières sortirent des vaisseaux un peu abasourdies, mais fières et martiales quand même. Les Français établis à Québec et aux environs revirent avec émotion les fiers uniformes du royaume. Les natifs du Canada n'en croyaient pas leurs yeux. Jamais ils n'avaient imaginé pareille splendeur. Et ils frémissaient de joie en regardant défiler les hommes sanglés dans les uniformes, les beaux officiers rutilants, les drapeaux qui claquaient à la brise, les tambours qui battaient, les clairons qui sonnaient haut et clair ! Tous éprouvaient une joie bouleversante : ne plus avoir peur, ne plus avoir les nerfs tendus à guetter, c'était tellement nouveau, tellement incroyable.

Le 30 juin, quatre autres compagnies firent leur entrée triomphale. L'envoyé spécial de Louis XIV, le marquis de Tracy, était avec elles, imposant et solennel. Et d'autres arrivages se succédèrent. Québec sera en fête jusqu'à la fin d'octobre.

Trois-Rivières savoura aussi les joies de cet été magique. À la fin de juillet, des barques transportèrent des troupes au Richelieu, et les soldats et les officiers en grande tenue saluèrent au passage le poste trifluvien. Les sonneries de clairon et les roulements de tambour firent vibrer l'air alourdi du plein été. Sur le monticule sablonneux, pauvrement fortifié, les habitants regardaient, les yeux humides d'émotion. Enfin, la France était là, bien réelle, forte et prestigieuse. Finies les angoisses et les terreurs.

Les beaux soldats de France poursuivirent leur montée. Ils se sentirent bientôt moins à l'aise dans les forêts touffues. Habituées en rase campagne, les troupes durent modifier leurs tactiques. Elles découvrirent les mille aspects imprévus de la marche en plein bois, des campements improvisés, des maringouins affolants, des ennemis invisibles mais présents. La campagne de l'hiver 1666 en particulier leur réserva de cruelles surprises. Elles réussirent toutefois à incendier les bourgades et à détruire les réserves de vivres.

La Nouvelle-France pourra respirer à l'aise durant une vingtaine d'années. Le père Le Mercier exprime la pensée de tous lorsqu'il écrit : « Il y a bientôt quarante ans que nous soupirons après ce bonheur, nos larmes ont enfin passé les mers. »

PLUS PRÉCIEUX QUE LES TROUPES

Louis XIV ne songeait pas seulement à mettre les Iroquois à la raison. Il voulait réorganiser la colonie qu'il prenait sous sa protection. Il confia l'essentiel de cette tâche à Jean Talon.

Jean Talon a quarante ans. Ancien secrétaire de Mazarin, homme de confiance du probe Colbert, il est bien coté partout. Il incarne à un degré rare les qualités de l'*honnête homme* du grand siècle. Élégant, cultivé, tournant les vers avec grâce, capable de discourir en latin sur la philosophie, il a grande allure. Honnête, travailleur, administrateur clairvoyant et consciencieux, il peut aspirer aux plus hautes fonctions dans le Royaume. On lui demande un pénible sacrifice en le priant de s'enterrer dans un pays sauvage, où les perspectives d'avancement sont nulles. Il accepte avec bonne grâce et dans un esprit de dévouement entier.

« PASSANT D'HABITATION EN HABITATION . . . »

Jean Talon se rend à La Rochelle à la fin d'avril 1665. Il y séjourna un mois, attendant le départ du navire. Les armateurs et les commerçants sont bien renseignés sur le Canada. Talon profite des retards du voilier pour se mettre au courant des affaires de la colonie ; il note avec soin les observations et les suggestions.

Jean Talon passe de maison en maison.

Au cours des longues semaines de traversée, Talon continuera de réfléchir, d'analyser les éléments connus, de mettre au point les lignes essentielles du programme que le roi et son ministre Colbert lui ont tracé. À peine en vue des côtes de Gaspé, il se fait conduire en barque et profite des arrêts, « mettant pied à terre partout » où il trouve utile d'examiner les productions de la terre, la nature du sol, les indices de minéraux : fer, plomb, argent, etc. . . .

On ne peut souhaiter enquête plus consciencieuse. Talon se comporte en chef d'État, non en fonctionnaire. Après 117 jours de navigation, il aurait droit d'aspirer à quelques jours de repos. Au lieu de se rendre tout de suite à Québec, il descend sur la côte afin d'étudier la situation des familles qui y sont établies depuis 1634.

« Sortant du bord, j'ai pris terre à la côte de Beaupré qui est au nord de l'île d'Orléans, et j'ai visité près de sept lieues de pays, passant d'habitation en habitation, de manière que j'ai commencé par cet endroit à satisfaire à l'ordre que j'ai reçu de Sa Majesté. »

L'une après l'autre chaque famille reçoit sa visite. C'est la première fois qu'un aussi imposant personnage pénètre dans les maisons rustiques et pauvrement équipées. Le grand seigneur observe, pose des questions, s'intéresse aux moindres détails, enregistre les doléances et promet d'apporter remède aux maux les plus urgents.

LETTRES ET MÉMOIRES À COLBERT

Le 12 septembre, Jean Talon pénétra discrètement dans la capitale. Il ne perdit pas son temps en réceptions officielles, mais poursuivit ses enquêtes. Il n'aimait pas les renseignements de seconde main. Comme les derniers vaisseaux en destination de la France préparaient leur départ, il se hâta de consigner ses constatations et ses projets afin de les adresser immédiatement au ministre Colbert.

Le 4 octobre 1665, il signe deux importants mémoires : l'un décrit les conditions de la navigation de La Rochelle au Canada ; l'autre expose la situation du pays, les perspectives prodigieuses qu'il offre, les mesures immédiates qui s'imposent. En trois semaines, Jean Talon a saisi d'un coup d'œil les données essentielles du problème et il a déjà fixé dans ses détails le mécanisme de redressement qui donnera à la Nouvelle-France une puissante impulsion. Talon est réaliste ; il ne se perd pas en phrases ni en formules. Il voit vite, il voit grand, il voit juste, et, quand il a vu, l'action et l'exécution suivent.

LE PEUPLEMENT D'ABORD

Jean Talon continua ses recherches et ses entrevues après le départ des vaisseaux. Il s'intéressait, en tout premier lieu, aux effectifs humains.

Au cours de février et mars 1666, il procéda à un dénombrement nominal très détaillé de tous les habitants du pays. La population blanche se chiffrait à 3 215 âmes, sans compter les douze cents soldats de Carignan. Québec comptait 547 âmes ; Trois-Rivières, 455 ; Montréal, 625. Les campagnes avoisinant Québec, — île d'Orléans, Beaupré, Beauport, Sillery, Notre-Dame des Anges, — dépassaient en nombre la population des trois « villes » du Saint-Laurent. Dans toute la colonie, il n'y avait que 538 ménages.

Les célibataires masculins étaient en surnombre inquiétant. Afin de remédier à ce déséquilibre, Jean Talon pressa le ministre Colbert d'envoyer au plus tôt des filles à marier. Il exigeait que les candidates « ne soient aucunement disgraciées de la nature, qu'elles n'aient rien de rebutant à l'extérieur, qu'elles soient saines et fortes pour le travail de la campagne, ou du moins qu'elles aient quelque industrie pour les ouvrages de main. » Chacune devait se pourvoir d'un certificat de moralité.

La reine Anne d'Autriche surveillait elle-même le choix des jeunes filles. Une matrone les escortait jusqu'au Canada. À l'arrivée, Talon veillait à leur installation en attendant qu'elles trouvent mari, ce qui se produisait d'ordinaire très vite. Marguerite Bourgeoys avait créé à Montréal un centre d'éducation familiale ; les aspirantes-épouses y étaient logées et instruites de leurs devoirs en attendant d'être pourvues d'un mari.

Le transport, l'habillement et la nourriture de ces recrues matrimoniales étaient à la charge du roi. De là le nom de « filles du roi » donné à ces demoiselles. De 1663 à 1673, il viendra un millier de ces jeunes filles. Presque toutes fondèrent des foyers. Elles ne ménagèrent ni leurs soins, ni leurs forces, ni leur dévouement.

La politique démographique de Talon est précise et exigeante. Il veut que l'on procure le « mariage des garçons à l'âge de dix-huit à dix-neuf ans, et celui des filles à quatorze et quinze ans ». Une jeune célibataire de seize ans est taxée de mauvaise volonté civique et peut attirer une amende à sa famille. Les célibataires non mariés « quinze jours après l'arrivée des vaisseaux qui apporteront des filles » sont privés de permis de chasse et de traite. Par contre, les bien méritants reçoivent des allocations de mariage ; les familles nombreuses sont récompensées : dix enfants vivants donnent droit à un cadeau de trois cents livres ; pour une douzaine, on reçoit quatre cents livres.

« *Les pièces d'étoffe sont les brevets de capacité des ménagères.* »

De 1663 à 1673, les ménages ainsi créés dépassent 900 ; les naissances, pour la même période, excèdent le chiffre étonnant de 3 500. La Nouvelle-France est en bonne voie.

NE PLUS COMPTER SUR LES AUTRES

Coloniser à coups d'octrois n'est qu'une politique de lancement. Le sage Talon veut mettre au plus tôt les familles en état de se suffire sans tout attendre des pouvoirs publics ou de la traite des fourrures. La culture et l'élevage lui apparaissent comme formule d'indépendance économique sur le plan familial. Il établit lui-même une ferme modèle près de Québec ; il démontre par l'exemple que le sol et le climat canadiens sont propices à une culture diversifiée. Il pousse à l'élevage des moutons, à la culture du lin et du chanvre, afin de fournir aux ménagères les matières premières indispensables à l'artisanat domestique. « Quand le Canada sera rempli d'une grande quantité de bêtes à laine et à cornes, écrit-il, on pourra, par le moyen de leur dépouille et de leur peau, manufacturer des draps et autres étoffes et des cuirs que l'on convertira à divers usages, à la commodité et à l'avantage des habitants. »

Le P. Alexandre Dugré, s.j. évoque de façon pittoresque cette époque de vie simple : « Quand le blé vient, l'on fait le pain de ménage ; quand le bétail peut vivre, on se paie des laitages. (. . .) L'on n'achète rien pour deux bonnes raisons : faute d'argent et faute de magasins. Tout pousse du sol et l'on transforme tout : le lin devient toile, devient serviettes, draps, chemises ; avec le chanvre on sait même filer des câbles ; la paille devient chapeau et tapis ; le cuir devient bottes, souliers sauvages, babiche, pièces de harnais, mitaines, genouillères, pentures de portes, fonçures de chaises . . . La femme sait prendre la laine sur le dos des moutons et lui fait subir tous les stages jusqu'au dos du mari ; les rouets et les métiers sont établis en permanence et les pièces d'étoffe sont les brevets de capacité des ménagères. »

À la fin de son intendance, Talon sera très fier d'écrire à Colbert qu'avec la laine et les cuirs du Canada, les ouvrières se débrouillent : « Présentement, j'ai, des productions du Canada, de quoi me vêtir du pied à la tête » (1671).

INDUSTRIE ET COMMERCE

Il ne suffisait pas, pour l'économie générale du pays, de relever et de propager les travaux domestiques. Chaque groupement avait besoin d'artisans spécialisés, tels que charpentiers, cordonniers, menuisiers, maçons, tailleurs, tonneliers, meuniers, serruriers, etc. . . . Talon en fit venir plusieurs pour le service des habitants.

Il fit plus et encouragea l'industrie. Il dota Québec d'une brasserie et développa la pêche et la chasse lucratives du loup-marin et du marsouin blanc qui donnent de si bonnes huiles. Il fit rechercher des mines de fer, de cuivre, de charbon ; il construisit une tannerie et une chapellerie. Notre grande richesse, la forêt, l'attirait. Il encouragea le commerce des bois de construction navale. Dès 1666, il fit construire au Canada un navire de cent vingt tonnes. Il amorça également des échanges commerciaux avec les Antilles et l'Europe.

Jusque-là le castor avait été la seule source de revenus ; Talon a voulu briser cette tyrannie et prouver que le Canada peut vivre sans être lié totalement à la traite des pelleteries. À condition de travailler ferme.

« J'AI OUVERT LA PORTE AU TRAVAIL »

La Nouvelle-France apprit de Talon l'amour et le respect du travail, la seule noblesse dont on ait vraiment le droit de se glorifier. « J'ai ouvert la porte au travail, écrit-il en 1671 . . . Je puis dire même que j'ai fait une espèce de guerre à l'oisiveté, qui a fait murmurer quelques-uns, à quoi je ne m'arrête pas, parce que je sais qu'on ne peut guérir un mal sans blesser celui qui s'en chatouille et s'en fait un plaisir. (. . .) Personne n'ose plus tendre la main pour demander, s'il n'est enfant trop faible ou homme trop âgé, estropié ou malade de maladie habituelle. »

Jean Talon s'était proposé de rendre chaque foyer indépendant. À la fin de son administration, il put affirmer à Colbert que grâce à l'élevage des bestiaux, à la culture, à l'industrie domestique, les habitants obtenaient « *sans sortir du bourg, toutes les choses nécessaires tant à la nourriture qu'au logement et vêtement.* »

Nourriture, logement, vêtement, l'essentiel de la vie au point de vue matériel.   Aux heures de crise, les nôtres devront leur salut à cette formule.   Parce qu'ils peuvent subsister sans compter sur les autres, nos paysans se replieront sur eux-mêmes quand l'orage grondera. Ils attendront patiemment des jours plus sereins.   Cette indépendance leur donnera un sens de la sécurité et de la durée.   Un sentiment de supériorité aussi.

COMBLER LES VIDES

Colbert tenait, par-dessus tout, à fortifier l'emprise française au Saint-Laurent.   Il refrénait toutes les velléités d'expansion et exigeait avant tout qu'on soudât, par des établissements continus, les trois villes-pivots : Québec, Trois-Rivières, Montréal.

Talon fera distribuer des tranches substantielles de territoire, le long du Saint-Laurent, sur la rive nord surtout. Ces concessions, portaient le nom de seigneuries. Le titulaire de chaque domaine seigneurial jouissait de certains privilèges et s'engageait, en contrepartie, à établir des colons sur ses terres. Le régime seigneurial a subsisté jusqu'au siècle dernier.

La veille de son départ (1672), Talon confirma la concession d'une soixantaine de seigneuries en bordure du fleuve et dans la vallée du Richelieu, voie d'entrée habituelle des Iroquois. Parmi les titulaires, on remarquait plusieurs officiers du régiment de Carignan-Salières. Des centaines de soldats avaient choisi de demeurer au pays après leur victorieuse campagne contre les Iroquois ; la plupart s'établirent dans les nouvelles seigneuries.

Les paroisses riveraines du fleuve, de Montréal à Québec, remontent à cette époque. Un bon nombre ont gardé les noms des officiers et des seigneurs : Contrecœur, Verchères, Varennes, Rougemont, Sorel, Saint-Ours, Lavaltrie, Berthier, la Noraye, la Pérade, d'Eschambault, Portneuf, Neuville, etc. . . .

Expansion...

(*1672-1682*) Jean Talon voyait grand. Malgré les résistances du prudent Colbert, il réussit à entraîner la France dans une politique d'envergure impériale. Il partira trop tôt pour voir ses plans réalisés, mais Frontenac, le gouverneur fastueux et fantasque, poursuivra les efforts d'expansion. Les émissaires de la France feront flotter les lys sur tous les points stratégiques du continent : la baie d'Hudson, les grands lacs et le bassin du Mississipi, jusqu'au golfe du Mexique.

Cavelier de La Salle aux bouches du Mississipi (1682).

« D'UNE TRÈS VASTE ÉTENDUE... »

JEAN Talon connaissait l'opposition de Colbert aux tentations d'éparpillement des Canadiens. Le ministre avait ordonné de peupler d'abord le Saint-Laurent et de combler les espaces libres entre les postes habités. Attitude raisonnable, à condition de fournir le capital humain.

Tout en respectant les consignes de Colbert, Talon ne laissait pas moins libre cours à ses rêves et il avait tenté, dès 1665, d'éblouir l'imagination lente de Colbert : « j'aurai l'honneur de vous dire que le Canada est d'une très vaste étendue, que, du côté nord, je n'en connais pas les bornes tant elles sont éloignées de nous, et que, du côté du sud, rien n'empêche qu'on ne porte le nom et les armes de Sa Majesté jusques à la Floride, les Nouvelles Suède, Hollande et Angleterre, et que par la première de ces contrées on ne perce jusques au Mexique. »

Colbert maintint son opposition et l'intendant se soumit temporairement à ses exigences. Le Saint-Laurent d'abord. Mais, en 1671, la position de la Nouvelle-France est encourageante. La population a plus que doublé ; la vie familiale et la vie économique sont en progrès et Talon prévient le roi que la Nouvelle-France peut maintenant voler de ses propres ailes. Après quoi, il revient au plan d'expansion qu'il n'avait jamais abandonné. Ce plan est d'une ampleur impériale. L'intendant Talon veut poser, avant son départ, les jalons d'un état français qui contrôlera l'Amérique du nord.

Le projet est bien conçu : relier d'abord la colonie acadienne au Saint-Laurent par une route terrestre ; ensuite, prendre possession du haut Saint-Laurent et du réseau de rivières ouvrant l'accès dans toutes les directions : vers le *sud*, jusqu'au Mexique ; vers l'*ouest*, jusqu'à l'océan ou jusqu'aux Indes ; vers le *nord*, jusqu'à la baie d'Hudson. Entreprise fascinante pour un homme à l'imagination

Rien n'arrêtait les hardis coureurs de fleuves et de rivières.

vive, capable de concevoir des plans majestueux et de les transposer dans la réalité, si on lui en donne les moyens.

La France de l'époque aurait pu fournir les recrues nécessaires pour établir des postes fortifiés et des établissements agricoles ou commerciaux à tous les points stratégiques du réseau hydraulique américain. Elle ne le voulut pas de façon assez énergique ni assez continue.

RADISSON ET DES GROSEILLIERS

Malgré leur tout petit nombre, les Français du Canada trouvaient moyen d'être présents partout. Signalons, en tête des explorateurs de l'époque, les pittoresques aventuriers Radisson et des Groseilliers. Même aux pires moments du blocus iroquois, ces deux canotiers avaient maintenu les relations françaises avec les tribus du haut Saint-Laurent. Au printemps de 1660, ils avaient conduit à Québec une flottille de canots chargés de fourrures évaluées à deux cent mille livres. Ils étaient passés au Long-Sault quelques jours après l'hécatombe de Dollard. À Québec, le gouverneur les reçut mal. Des Groseilliers fut puni de prison, parce qu'il était parti sans la permission des autorités.

Aigris, mal conseillés, les deux trifluviens se laissèrent séduire par des armateurs bostonnais qui leur promirent l'appui de Londres. En Angleterre, le roi Charles II les reçut et endossa leur projet d'exploitation du plus riche marché de fourrures d'Amérique, celui du grand nord, dans l'immense bassin de la baie d'Hudson. Des expéditions d'essai donnèrent des profits tels que, d'emblée, une association se forma (1670), sous le nom encore très connu de Compagnie de la Baie-d'Hudson. Aujourd'hui encore, la H. B. C. (*Hudson's Bay Company*) règne en maîtresse sur le commerce mondial de la fourrure.

Les promoteurs Radisson et des Groseilliers revinrent au service de la France, mais pour un temps assez bref. Radisson retourna à Londres. Il y connut l'oubli, l'ingratitude et la pauvreté, alors que les « gentilshommes aventuriers » de la H. B. C. continuaient à encaisser des profits confortables.

Quand, en 1672, les envoyés de Talon parviendront par terre à la baie d'Hudson, ils trouveront la place occupée par les postes de la H. B. C. La charte de la puissante Compagnie anglaise concédait, en termes assez vagues, les trois-quarts du Canada actuel à une entreprise privée.

VERS L'OUEST D'ABORD

Avant de passer au service de l'Angleterre, les turbulents aventuriers Radisson et des Groseilliers avaient pénétré jusqu'au centre de l'Amérique, dans le bassin du lac Michigan et du lac Supérieur. Talon voulut donner un caractère officiel à ces explorations. En 1670, il aida les sulpiciens Dollier et Galinée à se rendre au Sault-Sainte-Marie. L'année suivante, il délégua Saint-Lusson avec pleins pouvoirs et chargea le coureur de bois Nicolas Perrot de convoquer les tribus à un rassemblement d'amitié, fixé à la mi-juin 1671.

L'abbé Groulx évoque avec ferveur le grandiose événement. (. . .)
« Dès le matin on gravit une élévation qui domine la bourgade de
Sainte-Marie-du-Sault.   Autour du représentant de la France, les
délégués des quatorze nations indiennes étalent la variété de leurs
costumes.   Il y a là les représentants des nations du nord, du sud et de
l'ouest, de celles qui viennent du pays des glaces et de celles qui viennent des prairies inconnues et non loin des bords de la mer Vermeille.
Les pères de la Compagnie de Jésus sont présents, ainsi que les Français de passage au poste.   La scène est digne d'un grand tableau et
d'un grand artiste.   Saint-Lusson donne lecture de sa commission
que traduit sur le champ Nicolas Perrot.   La croix bénite solennellement s'élève dans les airs, puis, à côté d'elle, prend place un haut
piquet de cèdre où sont arborées les armes de la France.   Pendant
ce temps, les Français aidés des missionnaires entonnent le *Vexilla
Regis* et l'*Exaudiat*, à la grande admiration des Sauvages.   Puis, par
trois fois, en élevant dans sa main une poignée de gazon et de terre,
Monsieur de Saint-Lusson fait crier : « Vive le roi ! », par toute l'assemblée, acclamations que des salves de coups de fusil viennent ponctuer. »

POUSSÉE VERS LE NORD

Même avant Radisson et des Groseilliers la mer du Nord avait
exercé une forte attraction sur les Français.   En 1652, le père Jacques
Buteux se dirigeait vers la baie d'Hudson lorsqu'il fut surpris et tué
par un parti d'Iroquois.   En 1661, les pères Dablon et Druillettes
voulurent s'y rendre, mais ils durent rebrousser chemin, parce que
leurs guides refusèrent de les conduire plus loin que le lac Saint-Jean.
C'est au père Charles Albanel, Auvergnat résolu, que Talon confia
l'entreprise.   Le religieux partit à l'automne 1671 et hiverna au lac
Saint-Jean.   Il en profita pour évangéliser les Indiens et pour mettre
au point les préparatifs de son expédition.

Muni de lettres officielles, le religieux prit la direction du nord le
1er juin 1672, accompagné de deux Français et de six sauvages.   La
montée fut pénible : pluie, marécages, moustiques, embêtements
créés par les Indiens, rien ne manqua.   Après dix-huit journées de
misère, les voyageurs atteignirent le grand lac Mistassini.   Il restait

encore une dizaine de jours pour se rendre à la baie James. L'émissaire y parvint le 28 juin. La présence de barques anglaises le força
à chercher un endroit isolé pour prendre contact avec les Indiens.
Le 9 juillet, le père Albanel arborait les armes du roi en signe de prise
de possession des territoires contigus à la baie d'Hudson. Au retour
il fit rapport de sa mission. Pour l'accomplir, il avait parcouru deux
mille milles en canot, affronté quatre cents rapides, contourné, en
portageant canots et effets, plus de deux cents chutes.

Tout cela pour augmenter le rayonnement de l'Évangile et le
prestige de la France.

VERS LE SUD

Il ne reste à Talon qu'à conquérir pacifiquement les terres du sud
pour achever son programme d'expansion. Avant de partir définitivement, le prodigieux animateur a chargé le jeune canadien Louis
Jolliet de porter la croix et les lys vers le midi plein d'attraits. Le
gouverneur Frontenac, qui vient d'arriver à Québec, se montre
disposé à mener le projet à bonne fin. Talon quitte Québec conscient
d'avoir bien servi le Canada et la France (1672). Marie de l'Incarnation lui a rendu un témoignage que l'histoire a confirmé : « Depuis
qu'il est ici en qualité d'intendant, le pays s'est plus fait et les affaires
ont plus avancé qu'elles n'avaient fait depuis que les Français y habi-
taient. »

Louis Jolliet, mandaté par Frontenac, s'adjoignit le père Jacques
Marquette, missionnaire.

Le 17 mai 1673, les deux canots portant Jolliet, Marquette et sept
compagnons, s'engagent sur les eaux du lac Michigan, leurs fines
proues pointées vers le sud. De la baie Verte, explorée en 1634 par
Jean Nicolet, les voyageurs entrent dans la rivière aux Renards et,
de là, passent dans le Wisconsin. Les guides les quittent et les deux
hommes s'agenouillent sur la rive avant de s'engager dans l'étape
finale. Ils invoquent « la sainte Vierge immaculée » et lui demandent
protection. Le 17 juin 1673, un mois après le départ de Michilli-
makinac, Jolliet et Marquette contemplent, avec une joie inexpri-
mable, le Mississipi au cours lent et paisible, qui se déploie *comme un
reptile immense au soleil endormi* (Louis Fréchette).

Ils laissent leur embarcation glisser au fil de l'eau et contemplent les rives et les îles couvertes de beaux arbres, peuplées par « des chevreuils et des vaches, des outardes et des cygnes sans ailes . . . » Le 25 juin, des pistes humaines apparaissent sur le sable. Un sentier conduit les explorateurs à un village d'Indiens Illinois qui les accueillent avec des démonstrations joyeuses. Arrivés au confluent de l'Arkansas, Jolliet et Marquette estiment qu'il vaut mieux rebrousser chemin. La preuve est faite que le Mississipi ne se jette pas dans la mer de l'Ouest, mais coule vers le golfe du Mexique où règnent les Espagnols. Vers la fin de septembre, les découvreurs reviennent à la baie Verte. En quatre mois, ils ont parcouru trois mille milles à l'aviron.

Sur le chemin du retour, l'embarcation de Jolliet chavire dans les rapides avoisinant Montréal. Lui seul réussit à gagner la rive : « Je fus sauvé après avoir été quatre heures dans l'eau, par des pêcheurs qui n'allaient jamais dans cet endroit et qui n'y auraient pas été, si la sainte Vierge ne m'avait obtenu cette grâce de Dieu. (. . .) Il ne m'est resté rien que la vie. »

Louis Jolliet était bon canotier et excellent cartographe ; il était aussi habile courtisan. Dans la carte qu'il reconstitua de mémoire, le Mississipi s'appelle *rivière Buade* ; le territoire où il prend sa source, *la Frontenacie* ; la rivière Ohio, tributaire du Mississipi, reçoit le nom de rivière *Divine*, en hommage à Mme de Frontenac, surnommée la Divine dans les salons parisiens.

Malgré cette flatteuse nomenclature, M. de Buade, comte de Frontenac, ne confiera pas à Jolliet la poursuite de l'entreprise. Cet honneur sera accordé à Robert Cavelier de La Salle.

DE LA BAIE D'HUDSON AU GOLFE DU MEXIQUE

L'homme qui portera les couleurs françaises jusqu'à l'extrémité sud du continent américain était un beau type de Normand : « Il avait une stature de colosse, une taille bien prise, un beau visage » (G. Louis-Jaray). Audacieux, endurant, il eut le tort de croire qu'il pouvait exiger de tous ses hommes les tâches surhumaines que lui-même s'imposait. Il était absolu et entêté. S'il avait accepté de prendre conseil de ses lieutenants, bien des malheurs auraient été épargnés.

T.D. Kelly

De Champlain à Cavelier de La Salle se déploie la Grande Aventure.

Cavelier de La Salle poursuivait depuis quinze ans ses randonnées épuisantes dans les territoires des grands lacs et du haut Mississipi, lorsque Frontenac le chargea, à la fin de l'année 1681, d'explorer la Grande Rivière jusqu'à son embouchure.

La caravane qu'il dirigeait d'une main de fer se composait de vingt-trois Français et de dix-huit sauvages. Elle atteignit le delta du Mississipi, le 9 avril 1682.

Le moment est solennel. Cavelier, a revêtu un « manteau impérial écarlate à bordure d'or ». Drapé comme un roi, sa haute taille dominant le groupe, il écoute religieusement l'acte de prise de possession rédigé par le notaire du fort Frontenac. Les accents du *Te Deum* et du *Vexilla Regis* saluent la croix proclamant la maîtrise française sur le fleuve, sur toutes les rivières qui s'y jettent, et sur les nations qui peuvent y habiter.

Quatre ans plus tard, Cavelier de La Salle reçut le commandement de quatre voiliers nolisés en France pour créer un établissement à l'embouchure du Mississipi. Le groupe arriva par mer ; malheureusement Cavelier passa devant le large delta sans le reconnaître. Sa faute fut de soutenir, contre les cartographes, que le fleuve se déversait à l'ouest du golfe. Il prit terre à l'embouchure de la rivière Colorado. Enfin convaincu de son erreur, Cavelier de La Salle organisa une expédition de recherche par terre. Après trois mois de souffrances inimaginables, les hommes étaient à bout de forces et de patience. L'un d'eux abattit le chef implacable. Ainsi mourut, à l'âge de quarante-quatre ans, l'intrépide et malheureux découvreur de la Louisiane (19 mars 1687).

SI LA FRANCE AVAIT VOULU

En 1682, les cadres de l'empire français sont fixés. De la baie d'Hudson au golfe du Mexique, de Terre-Neuve aux extrémités occidentales du bassin des Grands Lacs, la croix et les lys règnent. À eux seuls, des cadres ne forment pas un empire. Il fallait, pour contrôler ces immensités sauvages, des voies de communication protégées par des postes et des relais ; les vallées se prêtaient à une exploitation agricole facile ; la France n'avait qu'à y envoyer des hommes, ces hommes qu'elle sacrifiait si allègrement dans des guerres souvent inutiles.

Quelques compagnies de soldats, quelques milliers de colons de plus, et l'empire français d'Amérique devenait une réalité.

En 1682, la France comptait dix-neuf millions d'habitants et l'Angleterre huit millions. La Nouvelle-France aurait dû, en tenant compte de ces proportions, contenir au moins deux fois plus d'habitants que la Nouvelle-Angleterre. Or, à cette époque, les Français du Canada étaient à peine 10 000 alors que, dans les colonies anglaises, la population dépassait 200 000.

La France aurait pu, par un effort nullement disproportionné, rattraper le terrain perdu. Malheureusement elle n'en fit rien. En 1683, le grand Colbert disparaît. Il s'était rallié, à la fin, aux vues de Talon et de Frontenac. Les ministres qui lui succèdent ne le valent pas. L'absence d'une politique forte et cohérente se fera durement sentir sur mer et en Amérique. D'ailleurs, même en Europe, le prestige de Louis XIV baisse. La France descend la pente. L'Angleterre, froide, résolue, calculatrice, prépare sa domination sur le vieux Monde et sur le nouveau.

Suzor-Côté

Grandeurs et misères...

À l'arrivée de Mgr de Laval, la population canadienne achevait de traverser la crucifiante épreuve des guérillas iroquoises. Au cours de ces années sanglantes, les actes d'héroïsme et de haute vertu surnaturelle faisaient partie de la vie quotidienne.

Le nouveau chef spirituel trouva un terrain bien préparé pour établir solidement l'Église canadienne.

Les sept années du régime de Talon amenèrent un accroissement rapide de la population. La traite des fourrures reprit ensuite de plus belle avec le retour de la paix. Le ton moral et le climat spirituel de la population accusèrent une baisse alarmante. Des frictions regrettables mirent aux prises les représentants de l'autorité civile et le chef de l'Église canadienne, créant dans le public une impression pénible.

PENDANT que le génial intendant Talon insuffle une vigueur nouvelle à la colonie, Mgr de Laval met toute sa sollicitude à protéger et à fortifier le troupeau confié à sa garde.

Les quelques deux mille Canadiens que Mgr de Laval avait adoptés en 1659 étaient de bonne race. Les épreuves et les horreurs d'une guerre permanente les avaient trempés et protégés. Resteront-ils à ce niveau d'âme malgré l'arrivée soudaine de quelques milliers de colons, d'artisans et de soldats transplantés dans un milieu neuf ?

Mgr de Laval sent la gravité de la situation. Aussi, prend-il les mesures que lui suggère son cœur d'apôtre pour maintenir la ferveur spirituelle.

Son zèle le pousse dans toutes les directions : Acadie, Tadoussac, Montréal. Toujours en canot ou à pied. Il confirme, exhorte, rabroue, réconforte. Image vivante de la sainteté exigeante et austère, il exerce une influence considérable. Il ancre d'abord les Canadiens dans leurs dévotions essentielles. Culte marial d'abord ; la Vierge règne partout. À Québec : Notre-Dame des Anges, Notre-Dame de Recouvrance ; aux Trois-Rivières, résidence de la Conception ; à Ville-Marie, Notre-Dame de Bon Secours. Dans toutes les demeures, des images, des statues, des oratoires, proclament la confiance populaire en Marie.

Saint Joseph est aussi très cher aux Canadiens. En 1624, le père Le Caron l'avait choisi comme patron du Canada : « Nous avons fait une grande solennité où tous les habitants se sont trouvés, et plusieurs sauvages, par un vœu que nous avons fait à saint Joseph que nous avons choisi pour le patron du pays et le protecteur de cette Église naissante. »

Sainte Anne, la patronne actuelle de la province de Québec, était déjà très honorée au pays avant l'arrivée de Mgr de Laval. On lui dédia une chapelle à sept lieues en bas de Québec (1658).

Cinq ans plus tard, Marie de l'Incarnation parle de l'église de Sainte-Anne de Beaupré comme d'un lieu de pèlerinage où « on voit marcher les paralytiques, les aveugles recevoir la vue, et les malades de quelque maladie que ce soit recouvrer la santé. »   Mgr de Laval voulut que la fête de sainte Anne fût une fête d'obligation dans son diocèse ; il se rendit lui-même plusieurs fois en pèlerinage à son sanctuaire.

Enfin, parce que le Canada était considéré encore « comme une partie des Indes », il proclama d'obligation la fête de l'Apôtre des Indes, saint François-Xavier (1667).

LA CONFRÉRIE DE LA SAINTE-FAMILLE

Le culte de la Sainte-Famille, par son universalité et sa durée, imprima une note caractéristique à la piété populaire. Cette dévotion était déjà fort répandue en France ; Monsieur de la Dauversière avait consacré les siens à la Sainte-Famille et, en 1642, dans la cathédrale Notre-Dame de Paris, les membres de la Société Notre-Dame de Montréal avaient voué Ville-Marie à la Sainte-Famille.

Au Canada, on doit la diffusion du culte envers la Sainte-Famille à une pieuse femme, Barbe de Boullogne, épouse de Louis d'Ailleboust, troisième gouverneur de la Nouvelle-France (1648-1651). Cette femme de haute vertu cherchait un moyen de « réformer les familles chrétiennes sur le modèle de la Sainte-Famille ». Elle rêvait d'une confrérie. Le père Chaumonot donna son appui. En 1665, Mgr de Laval, qui avait chargé Madame d'Ailleboust d'établir la Confrérie de la Sainte-Famille à Québec, publia un mandement pour répandre l'œuvre dans toute la colonie. L'esprit de cette confrérie, prescrivaient les règlements, « consiste à imiter les sacrées personnes qui composent la Sainte-Famille, chacun selon son état et sa condition. (. . .) Pour rendre cette imitation parfaite, l'on doit considérer, dans la personne du mari, celle de saint Joseph ; dans celle de la femme, la sainte Vierge ; dans les enfants, l'enfant Jésus ; dans les serviteurs, les saints Anges ; et chacun se doit proposer d'imiter principalement la personne qu'il représente, pour rendre une sainte Famille accomplie. »

Rome reconnut la Confrérie. Peu à peu, l'image de la Sainte-Famille tint la place d'honneur dans tous les foyers. Matin et soir, la famille entière se groupait pour l'examen de conscience, les actions

L'abbé Souart signe l'acte établissant la Confrérie de la Sainte-Famille.

de grâces et les demandes de faveurs. La prière en famille a été, depuis nos origines, une source de force, d'union et de protection.

Il est remarquable que cette dévotion familiale ait été introduite chez nous l'année même où, sous l'influence de Louis XIV et sous la forte impulsion de Talon, la Nouvelle-France reprenait confiance et vigueur.

LA CONGRÉGATION DE NOTRE-DAME

Le moment semblait venu, pour Marguerite Bourgeoys, de mettre à exécution les projets caressés depuis son départ de Troyes. Elle savait qu'il serait difficile d'obtenir l'autorisation de fonder un Institut répondant à ses conceptions de l'apostolat en Nouvelle-France. On admettait difficilement, à cette époque, l'idée de communautés féminines non cloîtrées. Or Marguerite voulait des « sœurs voyagères », sans clôture, disponibles pour les courses apostoliques dans les paroisses, pouvant passer d'un endroit à un autre pour enseigner et catéchiser.

Par contrat civil, Marguerite Bourgeoys et ses compagnes, les demoiselles Crolo, Chastel, Raisin et Hioux, avaient formé une association vouée surtout aux œuvres d'éducation. En 1663, Marguerite ouvrit un foyer pour héberger et former les « filles du roi » en attendant qu'elles trouvent mari. Mais elle envisageait un champ d'action plus vaste. Après des hésitations et des oppositions énergiques, Mgr de Laval finira par céder. Il donnera, en 1669, une adhésion de principe. Immédiatement, Marguerite Bourgeoys repassa en France et arracha de haute main, après dix mois de démarches, des lettres royales. Elle ramena une douzaine de recrues (1672). Il fallut encore quatre ans de patiente fermeté pour obtenir l'érection canonique de la communauté des « Filles séculières de la Congrégation de Notre-Dame » (1676).

La première communauté canadienne était née.

RETOUR DES RÉCOLLETS

En 1632, le cardinal de Richelieu avait empêché le retour des pionniers missionnaires de la Nouvelle-France. Les fils de saint

François ressentirent douloureusement cet ostracisme. Ils durent patienter jusqu'en 1670 avant de rentrer en possession de leur monastère de Notre-Dame des Anges.

L'initiative de leur retour est due à Jean Talon, qui amena six récollets, parmi lesquels se trouvait le frère Luc, un peintre réputé, formé à l'école des grands artistes de France et d'Italie. Mgr de Laval leur assigna comme champ de labeur : Trois-Rivières, Percé, la rivière Saint-Jean, en Acadie, et le fort Frontenac, sur le lac Ontario.

L'histoire doit retenir le nom du père Zénobe Membré, compagnon fidèle de Cavelier de La Salle, comme le père Marquette, jésuite, l'avait été de Louis Jolliet. Le père Zénobe Membré fut massacré par des Indiens, en Louisiane (1687).

Le ministère des récollets s'étendit bientôt à toutes les régions de la Nouvelle-France. Aux Trois-Rivières, on conserve religieusement le souvenir du frère Didace Pelletier, le premier Canadien à prononcer des vœux perpétuels de religion chez les fils du *Poverello*. Humble charpentier, il se fit constructeur d'églises et de monastères franciscains : à Percé, à Plaisance de Terre-Neuve, à Montréal et aux Trois-Rivières. Il mourut dans cette ville (1699) à l'hospice des Ursulines. Sa réputation de sainteté s'étendait à tout le pays. Mgr de Saint-Vallier en fit même l'objet d'une communication à Rome, trois ans après la mort de l'humble frère convers.

LES GRANDES VEDETTES DISPARAISSENT

Des deuils successifs et rapprochés assombrissent la Nouvelle-France dans la deuxième moitié du XVIIe siècle. Mme de Bullion meurt en 1664 ; Catherine de Saint-Augustin, en 1668 ; Mme de la Peltrie, en 1671 ; Marie de l'Incarnation, en 1672 ; Jeanne Mance, en 1673 ; la duchesse d'Aiguillon, en 1675.

La disparition de ces grandes figures féminines clôt la période héroïque de notre histoire. Il conviendrait de consacrer des pages ferventes à ces illustres bienfaitrices. Elles sont trop nombreuses et il faut nous limiter à deux rappels.

Un historien français, Gabriel Louis-Jaray, a rendu à Marie de l'Incarnation un témoignage qu'on pourrait appliquer, avec de légères variantes, à Catherine de Saint-Augustin, à Jeanne Mance, à Marguerite Bourgeoys et à tant d'autres.

« Son rôle au Canada est hors de pair ; elle fut pendant trente-trois ans l'âme de la colonie ; elle a marqué de son empreinte profonde la vie spirituelle de la Nouvelle-France, la collaboration des Français et des Sauvages ; elle exerce sur tous le rayonnement de son pouvoir et devait être regardée comme une sainte dès le jour de sa mort, le 30 avril 1672. C'est parce qu'elle a une place éminente dans la mystique française qu'elle joue un si grand rôle dans la ville de Québec ; elle y est, comme à Tours, intendante, mais intendante de la vie spirituelle ; elle demeure une des grandes figures de la Nouvelle-France, et des plus caractéristiques, entre Champlain qui vient de disparaître et ceux qui vont venir : Jean Talon, Frontenac et Cavelier de la Salle. »

CATHERINE DE SAINT-AUGUSTIN

Marie de l'Incarnation devait recevoir de Bossuet, en 1697, un hommage qui la classe parmi les plus grandes figures de l'Église catholique. C'est en effet l'Aigle de Meaux qui a donné à notre vénérable ursuline le titre de « Thérèse de nos jours et du Nouveau-Monde. »

L'angélique et gracieuse Catherine de Saint-Augustin se classe, pour d'autres raisons, à un rang aussi exceptionnel.

Tout en elle sort de l'ordinaire. Elle n'a pas encore trois ans « qu'elle supplie avec des instances qui ne sont pas croyables la très Sainte-Vierge de lui envoyer bien des maladies et des souffrances afin d'être plus agréable au bon Dieu ». Elle sera exaucée. Sa brève existence sera tissée d'épreuves physiques et morales d'une incroyable violence : vexations du démon, tentations, découragements allant jusqu'à l'obsession du suicide, désarroi de l'esprit et du cœur, rien ne manquera à sa passion de victime expiatoire.

À douze ans, Catherine de Longpré, la future sœur Catherine, entra chez les Hospitalières de Bayeux (1646). Elle revêtit l'habit deux ans plus tard et termina son noviciat à seize ans (1648). Comme les Hospitalières de Québec demandaient de l'aide, elle s'offrit. Ses parents et les supérieures locales s'y opposèrent ; ses vœux de religion

Catherine de Saint-Augustin.

n'étaient pas encore prononcés et il était inadmissible qu'on l'envoyât si loin. Catherine insista et finit par obtenir gain de cause. Le 4 mai 1648, elle émit ses vœux de religion dans la chapelle de Notre-Dame de Toute-Joie, à Nantes. Un mois plus tard, elle était en mer. Le 19 août, elle arriva dans son « petit paradis de Québec ».

Étrange paradis ! La Nouvelle-France est en plein désarroi et beaucoup se demandent s'il ne vaudrait pas mieux « vuyder le pays ».

Elle est à Québec depuis quelques mois quand arrive l'affreuse nouvelle de la destruction des missions huronnes et du martyre de Jean de Brébeuf (1649). L'âme ardente de Catherine s'émeut de pitié et d'admiration ; elle prend l'héroïque missionnaire comme modèle et protecteur. Elle portera constamment sur elle une relique du saint ; dans les dernières années de sa vie, des communications surnaturelles s'établiront entre la petite hospitalière et saint Jean de Brébeuf.

Torturée et bouleversée intérieurement, Sœur Catherine offrait à la vie un visage souriant. Épanouie et prévenante, elle était aimée de tous. Sa supérieure en rend témoignage : « Elle est tellement douce et charitable que tout le monde en est charmé. Nous l'aimons toutes, et pour ma part, je sens en Dieu des tendresses pour elle que je n'ai jamais ressenties pour personne. »

Catherine de Saint-Augustin mourut à Québec le 8 mai 1668, après trente-six années d'une existence effacée mais rayonnante.

Mgr de Laval ordonna de recueillir les lettres et les écrits de la petite religieuse. Sa réputation de sainteté n'a fait que croître depuis.

Le père Ragueneau, témoin oculaire de ses vertus, a raconté sa vie édifiante.

On la compte parmi les « Fondateurs de l'Église du Canada ».

RENVOI DE MAISONNEUVE

La mort ne sera pas seule à ravir au pays des personnalités éminentes. Paul de Chomedey de Maisonneuve avait tout sacrifié, à l'âge de trente ans, pour se consacrer gratuitement à la « folle entreprise » de Ville-Marie. Aux moments les plus critiques, il avait tenu tête à tous les courants contraires, et, sous sa conduite, Ville-Marie avait traversé victorieusement les passes les plus difficiles.

En France, on avait décidé de mettre fin à l'anomalie que constituait le statut exceptionnel de Ville-Marie, sorte d'état dans l'état. À partir de 1663, le fief de Marie entrera dans le droit commun. D'accord, puisque le bien commun l'exige, mais pourquoi le gouverneur, qui préside à ses destinées depuis plus de vingt ans, ne conserverait-il pas son poste ?

Paris en jugea autrement.   À la fin de l'année 1665, Maisonneuve reçut l'ordre de repasser en France.   Une décision difficile à justifier et qui manque d'élégance.   Maisonneuve s'inclina.   Sans autre ressource que ses rentes personnelles, — car il n'a rien retiré de ses vingt années de service, — il vivra encore douze ans à Paris, ignoré et silencieux.   Il mourra le 9 septembre 1676, « avec une confiance, écrit Faillon, d'autant plus parfaite, que n'ayant point reçu sur la terre la récompense de ses immenses services, il était assuré de la recevoir tout entière dans le ciel ».

CRÉATION DU DIOCÈSE DE QUÉBEC

Mgr de Harlay, archevêque de Rouen, revendiquait un droit de juridiction sur la Nouvelle-France et il s'opposait à la création d'un diocèse au Canada.   Devenu archevêque de Paris, il se désintéressa de la question et Louis XIV, qui avait appuyé ses prétentions, se montra favorable à l'érection canonique du diocèse de Québec (1671). Mgr de Laval venait d'arriver en France.   Il y resta quatre ans et revint muni des bulles de Clément X, en date du 1er octobre 1674.

Le nouveau diocèse comprenait toutes les possessions catholiques, présentes et futures, de l'Amérique du nord, soit le continent presqu'entier, y compris les colonies catholiques du Maryland, en Nouvelle-Angleterre.

FRICTIONS AVEC LES AUTORITÉS CIVILES

Mgr de Laval tenait en haute estime ses prérogatives de représentant du Vicaire de Jésus-Christ.   Il en faisait une question de principe et toute sa vie il lutta pour faire reconnaître la suprématie de l'Église sur le pouvoir temporel.   Les querelles de juridiction et de préséance

Carte du diocèse de Québec en 1674.

qui l'opposèrent souvent à l'impétueux Frontenac ne provenaient pas des sautes d'humeur d'un chef trop ombrageux. Les intérêts supérieurs de la religion étaient en cause et le courageux prélat entendait les défendre à tout prix. D'ailleurs Louis XIV lui donna raison.

Cette victoire établit la vraie mesure du fondateur de l'Église canadienne, car il avait comme antagoniste un homme puissant. Frontenac possédait un sentiment très vif de l'autorité. Il aimait la pompe, les honneurs, et entendait être traité au Canada comme le roi-soleil en France.

Il finira par mécontenter tout le monde et par rendre son rappel inévitable.

LA TRAITE DE L'EAU-DE-VIE

Les conflits de préséance et d'autorité divisaient les esprits et suscitaient des clans, mais ils ne causaient pas de ravages très graves. Il en était autrement de l'usage de l'alcool comme marchandise d'échange avec les Indiens.

Aucun article européen ne faisait prime comme l'eau-de-feu. Pour en obtenir quelques chopines, les sauvages donnaient des ballots de peaux de castor. L'alcool les attirait et les aveuglait. Les trafiquants sans conscience abusaient de cette passion véhémente. Indifférents aux ravages moraux et physiques causés par les boissons enivrantes, ils en distribuaient aux chasseurs indiens et s'enrichissaient ainsi rapidement et à peu de frais.

Les autorités civiles reconnaissaient les inconvénients de cette malheureuse coutume, mais ils la considéraient comme un mal nécessaire. « Si on refuse de donner aux Indiens ce qu'ils réclament avec le plus d'avidité, affirmaient les traiteurs, ils iront porter leurs fourrures chez les trafiquants anglais moins scrupuleux. » Même le sage Talon estimait qu'il fallait maintenir ce commerce, considéré comme indispensable à la colonie.

Aux yeux de Monseigneur de Laval, aucune raison politique ou économique ne pouvait prévaloir devant les maux causés par l'alcool. Il lutta avec énergie, sans jamais accepter de compromis ni de demi-mesure. Il souffrira toute sa vie de son impuissance à enrayer le honteux commerce. Un commerce qui n'a jamais cessé et qui nous a fait plus de mal que toutes les autres calamités publiques mises ensemble.

LES COUREURS DE BOIS

Le trafic de l'alcool avilissait physiquement et moralement les Indiens sans volonté. Il rendait toute évangélisation impossible. Il poussait aussi la population blanche à l'inconduite, à l'immoralité et à la désertion des foyers.

La course aux fourrures fascinait les habitants. Les hommes dans la force de l'âge résistaient mal à l'attrait des gains faciles et de la vie libre des bois. Ils abandonnaient les terres par centaines, s'enfonçaient dans la forêt, donnaient aux Indiens le mauvais exemple et entravaient l'action civilisatrice des missionnaires.

Vers 1680, on estime que le quart de la population adulte du pays vivait dispersée un peu partout dans la forêt.

DISGRÂCE DE FRONTENAC

Par ses attitudes hautaines et cassantes, Frontenac finit par se mettre à dos l'évêque, les Jésuites, l'intendant, les hauts fonctionnaires et même les Sulpiciens. Louis XIV l'avait durement réprimandé, mais sans résultat. En 1680, il lui mandait que « tous les corps et presque tous les particuliers qui viennent de ce pays se plaignent, avec des circonstances si claires, que je n'en puis douter beaucoup, de mauvais traitements qui sont entièrement contraires à la modération que vous devez avoir pour contenir tous les habitants de ce pays dans l'ordre et dans l'union ... » Les avis royaux n'y firent rien. Finalement, le 9 mai 1682, Louis XIV ordonna à Frontenac de rentrer en France.

IV

MATURATION
1683-1743

Au cœur de la paroisse, l'Église et le presbytère.

Trente années de guerre...

_____ — — —

(_1683-1713_) De 1665 à 1683, période d'une
tranquillité relative, la Nouvelle-
France s'est développée lentement. Sa population
dépasse 10 000 habitants. Refoulés par le régiment
de Carignan, les Iroquois se sont tenus à distance.
Ils vont recommencer leurs déprédations en 1684.
Ils signeront, en 1701, un traité de paix durable.
Leurs supporteurs clandestins, les chefs de la Nouvelle-
Angleterre, entrent ouvertement en guerre. Le
désastreux traité d'Utrecht, en 1713, laisse la Nouvelle-
France démantelée et dangereusement affaiblie.

J. D. Ket

Frontenac répond à l'envoyé de Phipps.

FRONTENAC était irascible et fantasque, mais il avait de la poigne et inspirait le respect. Avec son successeur La Barre, vieillard indécis, le prestige français connaît une baisse immédiate. Les Iroquois, domptés temporairement en 1666, profitent de cette faiblesse pour reprendre leur petite guerre. En 1684, ils attaquent des convois français et tentent de s'emparer du fort Saint-Louis des Illinois.

La Barre ne pouvait rester inactif. Il leva une troupe de douze cents hommes et partit en guerre. L'expédition, mal conduite, échoua. Le gouverneur signa, à l'Anse à la Famine, un traité honteux qui lui valut des réprimandes royales et un rappel précipité (1685).

Le roi désigna, comme successeur, un militaire d'excellente réputation, le colonel marquis de Denonville, à qui il ordonna de soumettre les Iroquois sans tarder. En 1687, Denonville organisa une campagne vigoureuse et réussie. Il commit l'erreur de saisir traîtreusement une quarantaine de chefs iroquois et de les expédier en France comme galériens. C'était à la fois une faute contre le droit commun et une maladresse politique. Les Iroquois jurèrent de se venger.

Dans la nuit du 4 août 1689, quatorze cents Iroquois investissent Lachine. Ils pillent, massacrent, promènent la torche incendiaire, laissant plus de cent cadavres dans les décombres. Le « massacre de Lachine » plongea la population du Saint-Laurent dans une vive stupeur.

Denonville est rappelé et Frontenac reçoit de Louis XIV l'ordre de retourner en Nouvelle-France pour y rétablir les positions compromises.

FRONTENAC RÉUSSIT

Denonville avait commis l'erreur de sous-estimer les Iroquois et de ne pas deviner que, derrière eux, un homme retors, le gouverneur

Dongan, de New-York, manœuvrait pour parquer les Français dans la vallée du Saint-Laurent. L'intrigant personnage, faute de pouvoir unir ses compatriotes, se servait des peuplades indiennes, attisait leur haine contre les Français et les munissait d'armes et de munitions.

Frontenac connaissait les menées de Dongan. Pour y mettre un terme, il proposa une attaque contre New-York, par terre et par eau. Plusieurs plans avaient été soumis dans le passé pour mettre la main sur les colonies anglaises, sur New-York, en particulier, qui commandait l'entrée de la rivière Hudson, par où on pouvait atteindre les grands lacs et rayonner dans toutes les directions.

Cette situation stratégique donnait à New-York une importance capitale. Sa prise aurait délivré la Nouvelle-France d'une menace permanente. Le projet Frontenac, comme les précédents, ne fut pas exécuté. Il était d'ailleurs trop tard pour s'emparer des colonies anglaises. Leur population s'élevait à 200 000 âmes, alors que le Canada et l'Acadie ensemble ne dépassaient pas 12 000 habitants.

Les colonies anglaises, jalouses de leur autonomie, refusaient de grouper leurs forces. Il y avait là un élément de faiblesse dont les Français pouvaient profiter. De plus, les « Nouveaux-Angleterriens » étaient casaniers. Les courses en forêt, les marches forcées, les expéditions militaires leur répugnaient. Malgré les différences énormes d'effectifs, Frontenac n'aurait pas hésité à attaquer New-York si les secours promis par la France étaient venus à temps.

TROIS EXPÉDITIONS PUNITIVES

La guerre est de nouveau déclarée en Europe, entre la France et l'Angleterre. Elle va s'étendre aux colonies d'Amérique.

Au lieu de s'en prendre directement aux Iroquois, Frontenac envoya trois groupes de francs-tireurs en Nouvelle-Angleterre, pour bien montrer qu'il connaissait les vrais responsables des attaques iroquoises. Les agents de Thomas Dongan ont poussé les Iroquois au massacre. Tant pis ! la Nouvelle-Angleterre paiera.

Les trois partis de guerre se mirent en branle en plein hiver, à la fin de janvier 1690. Ils arrivèrent à destination après deux mois de

Les marches forcées en plein hiver.

marches forcées à travers les forêts encombrées de neige, campant à la belle étoile, se nourrissant surtout de gibier abattu en cours de route. Un tour de force qu'on croyait impossible. Aussi, les habitants de Corlar, Salmon Falls et Casco offrirent peu de résistance, quand ils se virent attaqués en pleine nuit par des soldats-fantômes. Il y eut une centaine de morts et de nombreux prisonniers. Ces incursions meurtrières, surtout celle de Corlar contre des civils, se justifient difficilement. Elles firent passer un vent de rage sur les colonies.

RIPOSTE DE BOSTON ET DE NEW-YORK

La peur et la colère abolirent pour un moment les rivalités des colonies anglaises. William Phipps, un bostonnais, riposta d'abord par une expédition contre Port-Royal, en mai 1690. De retour avec des prisonniers, il persuada Thomas Dongan de se joindre aux Bostonmais pour attaquer Québec.   Boston et New-York équipèrent trente-deux navires portant plus de deux mille soldats.   La flotte leva les voiles le 9 août et atteignit Québec le 16 octobre.   Phipps était sûr de prendre Québec sans difficulté.   Il envoya un émissaire à Frontenac, le sommant de se rendre.   Le gouverneur se contenta de riposter : « Allez dire à votre général que je n'ai de réponse à lui faire que par la bouche du mousquet et du canon. »

Phipps débarqua des troupes sur la côte.   Ses hommes firent piètre figure devant les miliciens canadiens qui couraient d'un arbre à l'autre pour se protéger, tiraient à coup sûr, puis se dérobaient. Après un siège mouvementé de cinq jours, les assiégeants déguerpirent en hâte, à la faveur de la nuit (21 octobre).   Ils avaient perdu plusieurs centaines de soldats et de marins.   Les Français n'avaient que trente militaires mis hors de combat.   Phipps rentra à Boston, penaud et honteux.

Les Québécois exprimèrent leur gratitude au Ciel en donnant à la petite église de l'Enfant-Jésus le titre de *Notre-Dame de la Victoire*.

LA « PETITE GUERRE » IROQUOISE

En cette même année 1690, les maraudages iroquois recommencèrent.   À Verchères, Marie Perrot résista pendant deux jours à un parti d'Indiens, « avec une bravoure et une présence d'esprit qui auraient fait honneur à un vieux guerrier ».   Deux ans plus tard, sa fille Madeleine répéta l'exploit maternel.   Alors âgée de quatorze ans, la jeune fille, poursuivie par un Iroquois, s'échappa de justesse en abandonnant son mouchoir de col, et réussit à fermer à temps la lourde porte du fort.   Seule au manoir avec un vieillard de quatre-vingts ans, un domestique et quelques femmes, elle prit la direction de la défense et tint les assiégeants sur le qui-vive.   Ses deux frères, âgés de dix et douze ans, la secondaient, faisant le coup de feu quand les ennemis s'approchaient.   Après huit jours, les troupes de secours survinrent, commandées par Monsieur de Lanaudière.   Madeleine de Verchères avait trouvé du même coup la gloire et un mari.   Le sieur de Lanaudière, seigneur de La Pérade, émerveillé de son cran, demanda sa main et l'obtint.

DERNIER COUP D'ÉCLAT DE FRONTENAC

Le vieux gouverneur enrageait de voir les Iroquois continuer leur guerre de grignotage. Il résolut de tenter un grand coup. À la tête de deux mille hommes, — soldats réguliers, miliciens canadiens et sauvages, — il fonça vers les cantons iroquois, à cinq cents milles au-delà de Montréal.

Le vieillard de soixante-quatorze ans n'a rien perdu de sa vigueur morale. Quand il ne peut suivre les troupes, il se fait porter. Sa seule présence suffit à les électriser. L'expédition connut le sort des précédentes. Impossible de rejoindre les insaisissables sauvages. Il fallut se contenter de brûler les bourgades, les moissons et les provisions de maïs. Mais l'effet de choc était obtenu. Les Iroquois avaient appris à leurs dépens que la puissance française restait redoutable.

Cette campagne-éclair de Frontenac eut un excellent effet sur les tribus alliées, ébranlées dans leur confiance.

GARDIEN DES PORTES DE L'EMPIRE

Les explorations de Cavelier de La Salle avaient assuré à la France un droit de propriété sur la porte du sud, le Mississipi. Il restait à donner une suite concrète à cette prise de possession.

À l'autre extrémité du continent, la grande porte du nord, la baie d'Hudson, se trouvait, depuis 1670, sous contrôle anglais.

La France était maîtresse de la porte du centre, le Saint-Laurent, mais elle ne pouvait maintenir longtemps l'intégrité du fragile empire créé par Talon et Frontenac sans fermer aux ennemis les voies d'accès trop largement ouvertes du nord et du sud.

En 1682, La Salle hisse les couleurs françaises aux limites sud du continent : la même année, le versatile Pierre-Esprit Radisson offre de redonner à la France les domaines du nord. Mécontent de la compagnie de la Baie-d'Hudson, il entre au service de la compagnie du Nord que des négociants canadiens viennent de fonder. Avec sa fougue coutumière, Radisson bouscule ses anciens collègues de la Baie, saisit deux de leurs vaisseaux, rase le fort Nelson et érige à sa place le fort Bourbon. L'aventurier entre à Québec, escomptant une réception enthousiaste. Le gouverneur La Barre l'accueille mal et l'oblige à restituer aux Anglais le vaisseau qu'il a ramené à Québec. Radisson entre une fois de plus en colère et il retourne offrir ses services à la compagnie de la Baie-d'Hudson (1683).

La compagnie du Nord n'abandonne pas ses projets. En 1685, elle obtient de Louis XIV un monopole de vingt ans sur les territoires de la baie d'Hudson et, l'année suivante, elle envoie une centaine d'hommes imposer par la force ses droits d'occupation.

C'est ici qu'entre en scène l'homme qu'on a appelé le « gardien des portes de l'empire », Pierre LeMoyne d'Iberville. Le troisième des 14 enfants de Charles LeMoyne, Pierre est montréalais de naissance. Il s'est familiarisé très jeune avec la mer. D'ailleurs, il excelle partout. C'est un chef né et il brille dans les entreprises où l'audace et la rapidité de conception sont des atouts importants.

En 1686, il commande en second le parti de cent hommes que le chevalier de Troyes doit conduire par terre à la baie d'Hudson. Le groupe, encombré d'un équipement de campagne et d'un lourd matériel de siège, quitte Montréal le 30 mars. La montée s'opère d'abord à pied sur la glace, puis en canot dès que les rivières sont dégagées. Après quatre-vingts jours de marche épuisante, la troupe atteint la baie. Du 20 juin au 26 juillet, les Anglais sont bousculés partout et Iberville reste maître de la situation.

Il batailla à la baie presque sans interruption jusqu'en 1697, tenant partout les Anglais en échec ; il trouvait moyen, entre ces campagnes fulgurantes, de passer en France chaque année et d'y exposer des plans de conquête qui lui valaient l'admiration, sinon l'appui effectif des autorités militaires et maritimes.

Les Anglais établis à Terre-Neuve gênaient la libre entrée du Saint-Laurent. Iberville y mit ordre par une campagne d'hiver, en raquette. Au printemps de 1697, Iberville, à la tête de cent vingt hommes, avait nettoyé Terre-Neuve.

Il repart immédiatement pour la baie d'Hudson, où les Anglais ont repris le fort Nelson. À bord du *Pélican*, il arrive le 3 septembre 1697 en vue du fort. Trois gros navires de guerre ennemis le prennent par surprise. Le *Pélican* n'est pas de taille à résister mais Iberville est un marin expert. Il manœuvre avec tellement d'audace

Da

La victoire du Pélican.

et d'habileté qu'il prend l'initiative des opérations, coule le *Hampshire* et capture le *Hudson*, alors que le *Daring* prend la fuite.

Après cet exploit spectaculaire, Iberville revient à Québec. Il envoie à Paris un plan détaillé de campagne contre la Nouvelle-Angleterre, et il se prépare à courir vers le sud afin d'assurer à la France la maîtrise du Mississipi.

Iberville terminera sa fulgurante carrière aux portes du sud. Il établit, de 1698 à 1702, les postes de Biloxi, Maurepas, Mobile, créant ainsi la France méridionale d'Amérique, la Louisiane.

Il mourra à la Havane, en 1706, âgé de quarante-quatre ans.

Iberville le Canadien mériterait d'avoir son monument à la baie d'Hudson, à Terre-Neuve, en Acadie, à la Louisiane, points stratégiques de l'empire français d'Amérique, dont il a été le plus efficace serviteur.

L'ENTHOUSIASME DE RYSWICK

Pendant que l'illustre Iberville accomplissait en Nouvelle-France ses exploits surhumains, Louis XIV avait à se défendre contre le nouveau roi d'Angleterre, Guillaume d'Orange. En 1689, celui-ci avait dressé contre la France une coalition de presque toute l'Europe et il avait déclenché la guerre dite de ligue d'Augsbourg ou « guerre du roi Guillaume ».

La lutte dura huit ans et se termina par le traité de Ryswick en 1697.

Une fois de plus, Louis XIV se tirait brillamment d'une situation apparemment désespérée. La paix de Ryswick laissait le prestige français inentamé. Au Canada, elle accordait aux Français toutes les positions-clefs : baie d'Hudson, Terre-Neuve, Acadie et Louisiane.

Le traité de Ryswick fut accueilli par des feux d'artifice, des illuminations, des cérémonies d'actions de grâces et par le chant triomphal du *Te Deum* dans toutes les églises.

MORT DE FRONTENAC

L'année qui suivit le traité de Ryswick, le gouverneur Frontenac mourut. Il partait en pleine gloire, ayant racheté, par l'éclat de son deuxième gouvernement, les erreurs du premier. Frontenac a droit, avec Iberville, au titre de soutien et de sauveur de l'empire français d'Amérique. Il avait le sens de la grandeur française. Son ascendant, son courage indéniable, sa puissance de travail font oublier ses défauts. Malgré ses conflits avec les autorités religieuses, il s'était toujours comporté en bon chrétien dans sa vie privée.

MONSEIGNEUR L'ANCIEN

Le 16 novembre 1684, Monseigneur de Laval était parti pour la France ; son quatrième voyage, le dernier pensait-il. En effet, l'évêque de Québec s'en allait offrir sa démission. Il souhaitait finir ses jours en France.

Depuis vingt-cinq ans, le vénérable prélat portait sur ses épaules un fardeau écrasant. Les infiltrations d'idées et d'habitudes pernicieuses, l'esprit d'impertinence des hauts fonctionnaires, les cabales des profiteurs, avaient torturé son âme. Ses courses apostoliques en canot, les misères de la vie errante, l'implacable discipline qu'il imposait à son corps, les jeûnes, les veilles, les mortifications avaient miné peu à peu ses forces physiques. En 1681, il faillit succomber à une maladie grave. Il se rétablit, mais resta sujet à des éblouissements, à des crises cardiaques. La direction des affaires religieuses canadiennes exigeait un chef jeune et vigoureux. Le prélat sexagénaire préféra s'effacer.

Louis XIV se rendit aux arguments de l'évêque. La démission fut acceptée. Le remplaçant, proposé par Mgr de Laval lui-même, sera un jeune abbé de trente et un ans, Jean-Baptiste de la Croix de Chevrières de Saint-Vallier.

Monseigneur de Laval avait espéré s'établir en France. Les réclamations populaires le forcèrent à retourner au Canada. « Dans l'état présent, avait mandé le gouverneur Denonville, il est nécessaire que l'ancien évêque revienne pour ménager les esprits sur lesquels il avait un grand ascendant par son génie et par sa réputation de sainteté. » Jusqu'à sa mort, en 1708, il servira l'Église par le jeûne, la prière, le ministère des âmes. Dorénavant on l'appellera, avec une affectueuse vénération, Monseigneur l'Ancien.

MONSEIGNEUR DE SAINT-VALLIER

Le deuxième évêque de Québec accomplit, avant son sacre, une tournée en Nouvelle-France. Pendant seize mois, l'ancien aumônier royal expérimenta la vie canadienne (1685). Il connut le canot, les portages, les nuits à la belle étoile, les maringouins, la neige, les sentiers

glacés, etc.   Après avoir visité tous les établissements, de Tadoussac
à Lachine, il se transporta péniblement en Acadie en 1686.   Ses
impressions d'ensemble sont bonnes.   Il loue le zèle des prêtres et des
religieux, la ferveur des convertis indigènes ; avec une insistance
spéciale, il exprime son admiration pour la vie familiale des Canadiens.

Rentré en France le 1ᵉʳ janvier 1687, il ne sera sacré que l'année
suivante.   À Québec, on lui fait bon accueil.   Ceux qui avaient cru
trouver un chef plus conciliant que son prédécesseur furent vite
détrompés.   Il revendiqua avec la même vigueur les prérogatives du
pouvoir spirituel.   Son caractère absolu suscita des malaises et des
chicanes.   Mais, même s'il n'eut pas le don de plaire à tout le monde, sa
grande piété, son zèle infatigable, ses générosités, lui attirèrent le
respect.

Un examen plus attentif de son diocèse lui a fait découvrir des
maux qui l'inquiètent : ivrognerie, impureté, luxe, médisances, etc. . . .
Il passe en France en 1691 et en revient l'année suivante avec un renfort de quatorze récollets.

DEUX INSTITUTIONS NOUVELLES

Monseigneur de Saint-Vallier était riche, généreux et charitable.
À son retour de France, il acquit le monastère récollet de Notre-Dame
des Anges et en fit son hôpital-général.   Il en confia d'abord la
direction aux filles de Marguerite Bourgeoys.   Le but de l'Hôpital-
Général était de donner asile aux mendiants, aux indigents, aux invalides.   Plus tard, en 1693, Mᵍʳ de Saint-Vallier décida de mettre les
hospitalières à la tête de la nouvelle institution.   Il préleva d'autorité
quatre religieuses dans le personnel des hospitalières de l'Hôtel-Dieu,
deux de chœur, une novice et une converse.

La même année, à Montréal, naissait un institut masculin, le
premier dans l'histoire canadienne.   Son fondateur, Jean-François
Charon, était canadien de naissance.   En 1692, il s'associa deux compagnons, Pierre Le Ber, frère de Jeanne, la célèbre recluse, et Jean
Fredin.   Tous trois s'engagèrent à servir les pauvres et à former des
maîtres pour l'éducation populaire.   L'Institut des Frères hospita-
liers de Saint-Joseph, plus communément appelé Les Frères Charon,

obtint la reconnaissance royale en 1694. Il établit un Hôpital-Général à la pointe Saint-Charles.

LES URSULINES DES TROIS-RIVIÈRES

Monseigneur de Saint-Vallier souffrait de voir le bourg des Trois-Rivières privé de maison d'enseignement et d'hospitalisation. Il proposa aux ursulines de Québec d'y fonder un monastère qui assurerait à la fois l'éducation des jeunes filles et le soin des malades.

Il dota l'institution d'une rente annuelle pour l'entretien de six lits à l'hôpital. De plus, il offrit d'acquérir lui-même « la plus belle maison qu'il y eût alors à Trois-Rivières. Située au bord du grand fleuve et entourée de jardins, cette maison, bâtie pour servir de résidence au gouverneur, offrait l'aspect le plus agréable. »

Les fondatrices, Mère Marie-Drouet-de-Jésus, Mère Marie-Le-Vaillant de Sainte-Cécile et Sœur Françoise Gravel, prirent possession de leur résidence trifluvienne le 10 octobre 1697.

LA RECLUSE JEANNE LE BER

Le 5 août 1695, à Montréal, un cortège religieux conduit au couvent des sœurs de la Congrégation de Notre-Dame une femme de trente-trois ans qui a choisi librement de vivre en recluse. Elle aura pour asile une cellule à deux étages, de dix pieds sur douze ; elle n'en sortira plus jusqu'à sa mort (1714).

Jeanne Le Ber appartenait à une des plus riches familles de Montréal. Née le 4 janvier 1662, elle avait eu le privilège d'être conduite au baptême par Maisonneuve et Jeanne Mance. Élève de Marguerite Bourgeoys, et, plus tard, des ursulines de Québec, Jeanne Le Ber aurait pu aspirer à un bel avenir dans le monde. Les prétendants ne lui manquèrent pas. Mais elle préférait se donner au service d'autrui et s'immoler discrètement en expiation des abus qu'elle voyait s'infiltrer dans la cité de Marie, devenue la métropole du commerce. Sous ses habits recherchés, elle portait un cilice ; elle se livrait à des disciplines quotidiennes, s'imposait des jeûnes épuisants et consacrait ses journées à la prière.

Mère Marguerite Bourgeoys.

Elle couronna cette vie de renoncement par une séquestration volontaire de vingt années. Séparée du monde, elle continua de prier et de travailler pour le Canada. L'angélique victime a servi la Patrie dans le silence et le renoncement.

DÉCÈS DE MARGUERITE BOURGEOYS

La fondatrice des Sœurs de la Congrégation de Notre-Dame s'éteignit le 12 janvier 1700, à l'âge de quatre-vingts ans. Son biographe, l'abbé Yvon Charron, résume ainsi son œuvre au Canada : « . . . elle avait ouvert une école à Ville-Marie et fondé sept missions sur les côtes du Saint-Laurent. Sept fois elle avait traversé l'Atlantique, dans des conditions souvent inhumaines, pour doter l'Église canadienne d'un institut de filles séculières voué à l'instruction des filles et qui, à sa mort, ne comptait pas moins de quarante sujets. Enfin elle avait opéré tout cela dans la pratique des vertus chrétiennes cependant qu'elle passait par les terribles purifications des sens et de l'esprit. À la vérité, ce fut avec des mains chargées d'œuvres qu'elle se présenta devant le juste Juge. »

Ces œuvres, écoles, ouvroirs pour les jeunes filles et les épouses, maison de formation pour le personnel enseignant, œuvre des tabernacles avec la recluse Jeanne Le Ber, congrégations pour jeunes filles, etc. . . . continueront de servir notre population après sa mort. La bienfaisance de Marguerite Bourgeoys rayonne encore sur nous. Le 12 novembre 1950, Sa Sainteté Pie XII l'a proclamée bienheureuse.

PRISONNIER DES ANGLAIS

De 1694 à 1697, Mgr de Saint-Vallier avait séjourné en France. Des plaintes nombreuses, venues des milieux officiels canadiens, avaient indisposé Louis XIV, qui voulut vainement obtenir la démission du prélat. De guerre lasse, le roi permit à l'évêque de retourner à Québec.

Après trois années de ministère très actif, Mgr de Saint-Vallier s'embarque de nouveau pour outre-mer. Il apporte cette fois des attestations très favorables du gouverneur Callières et on lui fait bon accueil.   Le zélé prélat fait imprimer, en 1702 et 1703, trois ouvrages importants qu'il a rédigés pour le clergé et les fidèles de son diocèse : un *Catéchisme*, un *Rituel* et un recueil d'ordonnances épiscopales.

En juin 1704, accompagné de dix-huit ecclésiastiques, il s'embarque sur la *Seine*.   En haute mer, quatre navires ennemis attaquent le vaisseau et le capturent avec équipage et passagers.

En route vers l'Angleterre, M⁻ de Saint-Vallier eut à subir des mauvais traitements.   Des fanatiques le molestèrent : « Un d'eux le prit à la gorge pour avoir sa croix pectorale, un autre lui arracha son anneau. »   Ces hérétiques firent même brûler, en guise de bois de cuisine, les corps des saints martyrs qu'il rapportait de Rome.   Instruit de ces traitements indignes, le commandant fit transborder le prisonnier sur son navire.   Les captifs furent bien traités en Angleterre, mais on les y retint cinq ans.

Aussitôt rentré en France, en 1709, Monseigneur de Saint-Vallier voulut partir pour le Canada.   Louis XIV s'y opposa et essaya de nouveau, mais en vain, d'obtenir la démission du prélat.   Il leva finalement son veto et, en 1713, M⁻ de Saint-Vallier put rentrer au pays.

Son absence avait duré treize ans.

L'ÉGLISE CANADIENNE EN DEUIL

Après le départ de M⁻ de Saint-Vallier, en 1700, Monseigneur l'Ancien avait repris ses responsabilités de chef spirituel.   Une cruelle épreuve l'atteignit en 1701 : l'incendie de son Séminaire.   Les ravages étaient à peine réparés, qu'une deuxième conflagration rasa tout l'édifice en 1705.   Monseigneur de Laval se montra héroïque et stoïque jusqu'au bout.   La mort le terrassa le 6 mai 1708.   Ce fut un grand deuil dans toute la colonie.   On réclama de partout des reliques du défunt.

Hubert Houssart, serviteur et confident de l'héroïque prélat, a relaté quelques-unes des mortifications qu'il s'imposa jusqu'à l'âge de quatre-vingt-cinq ans, alors que cassé et rompu de vieillesse, de fatigue et d'infirmités, il aurait pu se permettre des adoucissements : « Il passait ses courtes nuits sur une paillasse toute réduite en poussière et pleine de puces ; (...) Quoiqu'il se couchât fort tard, il ne manqua jamais à se lever, pendant plus de quinze années, à deux heures du matin ... et les cinq dernières années de sa vie, sur les trois heures ... sans feu, n'ayant point de poêle dans sa chambre. (...) S'en aller à quatre heures à l'église, sa lanterne à la main, en ouvrir les portes, sonner sa messe qui était la première, de quatre et demie, pour les travaillants, et rester à l'église où à la sacristie qui était froide et incommode pour lors, jusqu'à sept heures. (...) Sa Grandeur a toujours mangé dans sa chambre pendant les vingt dernières années de sa vie. Je l'ai vu garder de la viande cuite, 5, 6, 7 et 8 jours, dans les chaleurs de l'été, et lorsqu'elle était toute moisie et pleine de vers, il la lavait dans de l'eau chaude ou dans du bouillon de sa soupe et ensuite la mangeait et me disait qu'elle était très bonne. (...) Sa Grandeur, nonobstant les dettes, les incendies et toutes les grandes disettes du séminaire, où elle avait sa meilleure part, ne manquait pas de donner aux pauvres, tous les ans, la valeur de quinze cents à deux mille livres. (...) Voilà une partie des menues et ordinaires actions, et traits de ferveur, de dévotion et de pénitence, que j'ai vu pratiquer journellement à Monseigneur pendant les vingt années, depuis sa démission de son évêché jusqu'à sa mort. »

L'ENTHOUSIASME ÉPHÉMÈRE DE RYSWICK

La joie de Ryswick dura moins de quatre ans. En 1701, éclata en Europe la funeste guerre de la Succession d'Espagne, appelée aussi « Guerre de la reine Anne ».

Un peu avant la reprise des hostilités, M. de Callières, successeur de Frontenac, avait entrepris des démarches pour s'assurer la bienveillance des Iroquois et des peuplades qui subissaient leur influence. Il réussit à grouper à Montréal les délégués de trente-huit nations et leur fit signer un traité solennel, au début du mois d'août 1701. Les signataires promettaient de ne plus faire la guerre et de garder la plus stricte neutralité entre Anglais et Français.

Le gouverneur avait droit de se réjouir. La paix de 1701 marqua la fin des hostilités iroquoises.

Libéré de ce côté, M. de Callières eut plus de liberté pour conduire la guerre contre les coloniaux américains. Elle prit d'abord la forme habituelle des attaques-surprises. Les Canadiens excellaient dans ces expéditions rapides, épuisantes, imprévisibles de la part des ennemis. Les postes américains connurent de nouveau les randonnées sanglantes des troupes de choc. En 1704, Hertel de Rouville incendia Deerfield. À Terre-Neuve, en 1709, Saint-Ovide, avec seulement 150 Canadiens, s'empara de Saint-Jean que défendaient 3 000 hommes.

En Acadie, Port-Royal résista victorieusement à trois assauts anglais.

Avec des forces vingt fois inférieures aux effectifs ennemis, les Canadiens gardaient l'initiative. La Nouvelle-Angleterre en était réduite à demander des renforts à la mère-patrie.

L'ANGLETERRE À LA RESCOUSSE

Les opérations militaires d'Europe avaient tourné à l'avantage de l'Angleterre.

Au début de 1710, Nicholson leva 3 400 hommes de troupes, tant d'Angleterre que des colonies, et se dirigea vers Port-Royal. Subercase n'avait que deux cent cinquante hommes à lui opposer. La capitulation était inévitable.

La facile victoire de Nicholson n'était qu'un exercice avant la grande expédition prévue contre Québec. En 1711, une escadre de 88 voiles, portant 890 canons et 12 000 soldats, remonta le fleuve. On était sûr cette fois d'emporter Québec et de conquérir toute la Nouvelle-France. Mais la sainte Vierge veillait. La redoutable armée de Walker n'atteignit jamais son objectif. La brume et le vent lui firent perdre la route et dix transports allèrent se briser contre les récifs de l'île aux Œufs, entraînant la mort d'un millier de soldats et de marins. Walker crut plus sage de rebrousser chemin. Émerveillée de cette protection évidente, la population de Québec fit monter sa gratitude vers le Ciel. Une assemblée des habitants décida, qu'à l'avenir, la petite église de Notre-Dame de la Victoire, rappelant l'attaque manquée de Phipps, s'appellerait Notre-Dame des Victoires.

L'alerte avait été vive. Pendant quelque temps, on avait cru la perte de la colonie inévitable. « Sous l'aiguillon du péril, des ferveurs éteintes s'étaient rallumées au fond des âmes canadiennes. On avait été insouciant, on était redevenu catholique. Les Québécoises avaient renoncé « à leurs ajustements » et promis de revenir à la pratique de la communion. À Montréal, on avait renchéri sur Québec. Les dames de la ville s'étaient imposé des sacrifices méritoires ; elles s'étaient obligées par vœu « à ne point porter de rubans ni de dentelles, à se couvrir la gorge » (Claude de Bonnault).

Victorieuse en Europe, l'Angleterre encaissait un échec humiliant au Canada. Un royaume puissant, appuyé par une partie notable de ses 450 000 coloniaux, n'avait pu venir à bout d'un petit peuple de 16 000 âmes.

UN TRAITÉ DÉSASTREUX

Le traité signé à Utrecht, en 1713, rend le son d'un glas pour la Nouvelle-France. Louis XIV a dû sacrifier les points vitaux de son empire d'Amérique. Il a cédé à regret la porte du nord, — la baie d'Hudson, — ainsi que Terre-Neuve et l'Acadie, les deux battants de l'entrée du Saint-Laurent. La France ne les recouvrera plus. Pour assurer la libre circulation de ses navires, gênés maintenant par la présence des Anglais à Terre-Neuve et en Acadie, la Mère-Patrie eut la sagesse de revendiquer le Cap-Breton et l'île Saint-Jean, aujourd'hui île du Prince-Édouard. Elle s'y fortifiera dans un effort suprême pour garder le contrôle du golfe et du fleuve Saint-Laurent.

En cédant la baie d'Hudson et Terre-Neuve, nous abandonnions d'importants comptoirs de traite et nous affaiblissions dangereusement nos positions en Amérique. La perte définitive de l'Acadie était plus douloureuse encore. Poste stratégique sans cesse disputé, l'Acadie était la plus ancienne terre colonisée en Amérique. Sa population de quinze cents habitants, issue d'une cinquantaine de familles amenées de France à partir de 1632, passait en bloc sous la domination des anglo-protestants.

LE TESTAMENT POLITIQUE DE LOUIS XIV

Louis XIV achevait sa longue et glorieuse carrière par une défaite. Au cours de ses cinquante-quatre ans de règne, il avait placé la France à la tête du monde. Même après l'humiliation d'Utrecht, le royaume gardait encore assez de vigueur pour remonter aux sommets. Avant de mourir à l'âge de soixante-dix-sept ans, en 1715, Louis XIV indiqua à ses successeurs la ligne à suivre pour reprendre la première place. Les derniers événements avaient ouvert les yeux du perspicace vieillard. L'ennemie à redouter n'était plus l'Espagne, mais l'Angleterre.

Le clairvoyant monarque dénonçait, avant de disparaître, la nation qui pouvait seule faire obstacle au redressement de la France.

Malheureusement il n'y avait aucun souci de grandeur nationale dans l'âme du souple et avide Dubois qui, avec le faible régent, prit la direction des affaires en attendant la majorité du jeune Louis XV, alors âgé de cinq ans. Le ministre accepta des cadeaux diplomatiques et se laissa berner par les agents de Londres. Il fit le jeu de l'Angleterre et rendit possibles les revanches qu'elle préparait avec patience et clairvoyance.

Paix de trente ans...

(*1713-1743*) Après le traité d'Utrecht, la
Nouvelle-France goûta un répit
de trente années. La métropole aurait pu utiliser
cette période pour étoffer son fragile empire d'Amérique. Elle n'en fit rien. Livrés à eux-mêmes, les
habitants de la colonie se débrouilleront de leur mieux ;
ils achèveront de s'acclimater, d'affermir leur personnalité, de se muer en un type humain bien caracté-
risé. Une nation nouvelle s'ébauche.

Inventaire des Œuvres d'A

« Le pays c'est le sol, le pays c'est le sang. »

J'AI TROP AIMÉ LA GUERRE

AU cours des cinquante-quatre années de règne de Louis XIV, quatre guerres continentales tinrent la France sous les armes. Avant de mourir, le monarque laissa à son arrière-petit-fils et successeur, Louis XV, un mot d'ordre plein de sagesse et de repentir : « J'ai trop aimé la guerre, ne m'imitez point en cela. »

Ce vœu sera partiellement exaucé ; trente ans vont passer avant que le jeu sanglant recommence. Phase de détente dont profitera notre pays. Les rivalités commerciales donneront encore lieu à des conflits particuliers entre les commerçants de pelleteries, mais la colonie ne sera pas troublée. Les habitants en profiteront pour s'enraciner davantage, mieux organiser leur vie matérielle, agrandir les champs en culture, affermir l'économie générale.

Dans son ouvrage, *La civilisation de la Nouvelle-France*, Guy Frégault dégage les traits essentiels de cette période : « La force de rejaillissement qui anime le pays au lendemain de 1713 se manifeste sous deux aspects : la conquête du sol et la conquête des frontières lointaines. Pendant que les Canadiens résistent à l'Est, se retranchent sur les Lacs, pacifient l'Ouest, créent la Louisiane et vont tenter fortune jusqu'aux Antilles, d'autres Canadiens peuplent la vallée laurentienne en y jetant des familles laborieuses, débordantes de vitalité. En fondant des familles, ils fondent un pays. Obscurs tâcherons des travaux de tous les jours, ce sont eux qui font l'avenir. La Nouvelle-France possède maintenant, grâce à eux, de solides assises. La plus puissante est le sol de la Patrie ; la terre qui fait la richesse de la Nouvelle-France, et non pas l'argent, puisqu'elle en manque toujours et qu'elle vit quand même.

« Le pays c'est le sol. Le pays c'est le sang. Les influences économiques convergent pour que le type canadien, tout en essentiel et en solidité, soit puissamment marqué par ces deux réalités élémentaires. »

« LE PAYS C'EST LE SOL . . . »

En 1713, le sol humanisé de la Nouvelle-France se résume à deux bandes parallèles courant le long du Saint-Laurent sur une longueur de 250 milles, de Kamouraska à Lachine. On pénètre un peu à l'intérieur dans certaines vallées d'accès facile : le Richelieu, les rivières Batiscan et Sainte-Anne. La rive nord du fleuve est la plus peuplée. La population s'élève à 19 000 âmes. Trois villes : Québec, Trois-Rivières et Montréal forment un total d'environ 4 000 citadins. Le reste habite la campagne. Une trentaine de paroisses possèdent un pasteur. Les autres sont desservies par des missionnaires ou par les curés voisins.

L'absence presque totale de communications par terre, sauf durant la saison d'hiver, la lenteur des voyages en canot ou en barque forcent les habitants à vivre repliés sur eux-mêmes. Depuis que Talon leur a appris à se tirer d'affaire seuls, à trouver dans la culture et l'élevage des bestiaux l'essentiel de la vie : logement, nourriture et vêtement, les ruraux forment des petites communautés indépendantes du pouvoir central, indépendantes aussi les unes des autres. Maîtres d'organiser leur vie à leur guise, les « habitants » contribueront plus que tout le reste du pays à élaborer lentement, en profondeur, un type ethnique différent du type français, bien que conservant l'essentiel des traditions spirituelles et morales apportées du vieux pays.

Au cours de la période de tranquillité qui s'ouvre et qui durera plus de trente ans, le défrichement gagne du terrain, les seigneuries se peuplent, la vie rurale s'épanouit. En 1721, on comptera un total de quatre-vingt-deux districts paroissiaux : quarante et un, dans la région de Québec ; treize, aux Trois-Rivières ; vingt-huit, à Montréal.

« LE PAYS C'EST LE SANG »

Les Canadiens ne se contentent pas d'agrandir le sol de la Patrie ; ils lui fournissent un apport plus précieux encore, celui du sang, de la vie largement dispensée.

Après la campagne démographique de Jean Talon, la France cessa presque complètement de fournir des recrues. La Nouvelle-

Ozias Leduc

« En fondant des familles, ils fondent ➝
un pays. »

France dut se suffire à elle-même dans ce domaine encore plus que dans les autres.

Les foyers de l'époque constituèrent nos meilleurs « comités de survivance ». Ils débordaient d'enfants, « cette richesse plus estimable pour un grand roi que le sucre ou l'indigo, ou, si l'on veut, que tout l'or des Indes ». En 1713, la contribution des mamans en capital-humain est de 1 147 naissances ; elle atteindra les 2 000 vers 1721 ; elle oscillera entre 2 500 et 3 000 jusqu'à la fin de la période française.

De 1608 à 1760, la France a donné environ 10 000 de ses sujets au Canada. Au cours de la même période, les mamans canadiennes ont offert à la Patrie le don prodigieux de 138 251 enfants.

UNE RACE FORTE

Il ne suffit pas de donner naissance à des milliers d'êtres humains pour avoir droit à des apothéoses. Le don physique de la vie serait un piètre cadeau à la Patrie, si, de leurs enfants, les mamans ne faisaient des hommes au meilleur sens du mot.

Sur ce point, les mamans canadiennes ont bien tenu leur rôle. Dans les milieux ruraux surtout, elles ont assumé en totalité la formation intellectuelle et morale de leurs enfants. Plus instruites que les hommes, éducatrices par nature et par vocation, elles ont façonné des âmes droites, vigoureuses. Remplaçant ou complétant le curé et le missionnaire, elles ont catéchisé, édifié, orienté spirituellement, mari, enfants et valets.

Le jésuite Charlevoix est émerveillé de l'instruction religieuse des Canadiennes : « . . . on voit toujours avec un nouvel étonnement des femmes jusque dans le sein de l'indigence et de la misère, parfaitement instruites de leur religion, qui n'ignorent rien de ce qu'elles doivent savoir pour s'occuper utilement dans leurs familles, et qui, par leurs manières, leur façon de s'exprimer et leur politesse, ne le cèdent point à celles qui, parmi nous, ont été élevées avec plus de soin. »

Mgr de Saint-Vallier exprime souvent son admiration et sa gratitude envers les familles qui sont « comme une petite communauté bien réglée ».

Les éducatrices de nos mères, Ursulines, Hospitalières et sœurs de la Congrégation, ont contribué, pour une large part, à cette haute valeur des épouses et des mamans.

PETER KALM

L'universitaire suédois, Peter Kalm, qui séjourna quelques mois en Nouvelle-France, au cours de l'été 1749, a publié un récit de voyage d'un grand intérêt.

À travers ses descriptions et ses observations, nous pouvons retrouver les traits principaux de la Nouvelle-France telle qu'elle était à la fin de la période que nous étudions.

Le pays d'abord : « Le paysage, de chaque côté de la rivière, est charmant. (...) Les maisons des fermiers, à peu d'exceptions près, ne sont séparées des autres que par une distance de trois à cinq arpents. (...) Elles offrent l'aspect d'un village construit sur une seule rue se prolongeant indéfiniment. »

« Les maisons des fermiers sont généralement bâties en pierre, ou en bois de charpente, et contiennent trois ou quatre chambres. Les fenêtres sont rarement garnies de vitres ; plus souvent des carreaux de papier remplacent le verre. Un poêle en fonte chauffe toute la maison (...) Ces poêles en fer viennent tous de la fonderie des Trois-Rivières. D'autres sont en brique ou en pierre, de la grandeur à peu près des poêles en fonte, et recouverts au sommet d'une plaque de fer. La fumée est conduite dans la cheminée par un tuyau en fer. (...) Pour éclairer les maisons dans les campagnes, on se sert de lampes alimentées avec de l'huile de marsouin, ou, si l'on ne peut s'en procurer, avec de l'huile de veau-marin ou phoque. »

« Chaque ferme est pourvue de son jardin potager rempli d'herbages et surtout d'oignons dont les paysans font une grande consommation et qui, avec un peu de pain, composent tout le menu de leur dîner, les vendredis et samedis et les jours de jeûne. (...) Les Français d'ici, lorsqu'on leur demande pourquoi ils ne plantent pas de pommes de terre, répondent qu'ils ne lui trouvent aucune saveur, et ils se moquent des Anglais qui en sont si friands. (...) Je n'ai jamais vu faire usage du thé ici. » Le visiteur s'étonne de certaines adaptations, pourtant très normales : « Chose curieuse, tandis que beaucoup de nations imitent les coutumes françaises, je remarque, qu'ici, ce sont les Français qui, à maints égards, suivent les coutumes des Indiens, avec lesquels ils ont des rapports journaliers. Ils fument, dans des pipes indiennes, un tabac préparé à l'indienne et portent jarretières et ceintures comme les Indiens. Sur le sentier de guerre ils imitent la circonspection des Indiens : de plus, ils empruntent leurs canots d'écorce et les conduisent à l'indienne ; ils s'enveloppent les pieds avec des morceaux d'étoffe carrés au lieu de bas et ont adopté beaucoup d'autres façons indiennes. »

Kalm est frappé de l'urbanité de la population : « La politesse des habitants, ici, est bien plus raffinée que celle des Hollandais et des Anglais des colonies appartenant à la Grande-Bretagne ; mais en revanche, ces derniers ne donnent pas autant de temps à leur toilette que les Français. Les dames, surtout, ornent et poudrent leurs cheveux chaque jour, et se papillottent chaque nuit. (. . .) Les gentilshommes portent généralement leurs propres cheveux, mais il y en a qui font usage de perruques. »

« Les marchands s'habillent fort élégamment et poussent la somptuosité dans les repas jusqu'à la folie. »

La courtoisie est vertu naturelle chez les campagnards : « Un étranger entre-t-il dans la maison d'un paysan ou cultivateur canadien, aussitôt il se lève, salue le visiteur d'un coup de chapeau, l'invite à s'asseoir, puis il remet son chapeau et s'assied lui-même. Ici tout le monde est *Monsieur* ou *Madame*, le paysan aussi bien que le gentilhomme, la paysanne comme la plus grande dame. »

Enfin, Kalm souligne l'esprit religieux des Canadiens : « Les colons français consacrent beaucoup plus de temps à la prière et au culte extérieur que les Anglais ou les Hollandais des colonies britanniques. Ces derniers ne font de prières ni le matin, ni le soir, à bord de leurs navires et n'observent pas le dimanche ; ne disent jamais, ou que bien rarement leurs grâces avant ou après les repas. Tout au contraire, à bord des vaisseaux français, la prière se fait régulièrement au commencement et à la fin de la journée, et le dimanche est entièrement consacré au culte. Les grâces se disent aussi fidèlement à chaque repas : outre cela chacun prie en son particulier tous les jours à son réveil. Au fort Saint-Frédéric, les soldats se réunissaient pour la prière, matin et soir. »

« *De distance en distance, on voit des croix . . .* »

Cet esprit de foi s'affirme aussi par les nombreuses églises et les croix du chemin : « De distance en distance, on voit des croix plantées le long du chemin qui court parallèlement au rivage. Cet emblème est multiplié en Canada, sans doute afin d'exciter la foi du voyageur. (. . .) Les calvaires érigés près des églises sont couverts de sculptures représentant tous les instruments qu'ont dû employer les Juifs pour crucifier notre Seigneur. »

INSTRUITS OU IGNORANTS ?

Nos ancêtres étaient-ils des illettrés ? On a souvent glosé sur ce thème. Sauf une minorité, chez les hommes surtout, la plupart n'avaient jamais reçu d'autre instruction que celle du foyer et de quelques instituteurs improvisés.

Toute proportion gardée, leur formation intellectuelle n'était pas inférieure à celle des milieux sociaux correspondants de la vieille Europe. Les femmes dépassaient beaucoup les hommes, ce qui leur donnait prestige et autorité à la maison.

Le foyer tenait lieu d'école. Le programme de formation se résumait aux points essentiels de doctrine et de pratique établis par Mᵍʳ de Laval et Mᵍʳ de Saint-Vallier, comme code de perfection chrétienne :

1. La prière en commun, le chapelet, matin et soir dans toutes les familles ;

2. L'assistance régulière aux offices du dimanche, au prône et à l'instruction chrétienne ;

3. La fréquentation des sacrements de pénitence et d'eucharistie au moins tous les mois une fois ;

4. L'offrande de ses actions à Dieu tous les jours ;

5. La pensée de ses fins dernières plusieurs fois par jour ;

6. La confession immédiate chaque fois qu'on tombe en péché mortel ;

7. Le recours à Dieu dans les tentations, les épreuves, l'adversité ;

8. Le recours empressé aux sacrements dans les maladies ;

9. Halte pour adorer le Saint-Sacrement quand on passe devant une église ;

10. La lecture des bons livres ;

11. La fuite des occasions mauvaises : compagnons indésirables, cabarets, jeux défendus, procès injustes, oisiveté, immodestie et irrévérence dans les églises, danses, spectacles, etc. . . . ;

12. Le péché devant être considéré comme le plus grand mal.

En rapport avec l'article dix de ce programme de vie, Mgr de Saint-Vallier recommande nommément les livres suivants : *La vie de Jésus-Christ*, *l'Imitation*, *Les Confessions*, de Saint Augustin, *La vie des saints*, *Le guide des pécheurs*, de Grenade, *Le pédagogue des familles chrétiennes*, *La conduite de la confession et de la communion*, de saint François de Sales.

De la bouche des prédicateurs, auxquels Monseigneur de Saint-Vallier recommandait judicieusement « d'annoncer la parole de Dieu d'une manière solide, claire, intelligible, mais en même temps très courte, l'expérience nous apprenant que les longs sermons excitent plutôt à l'impatience qu'à la pratique des vertus », cet enseignement passait comme une consigne sacrée dans l'esprit et dans le cœur des mamans qui se sentaient les premières responsables de sa transmission dans le sanctuaire du foyer.

Ce programme de formation ne préparait peut-être pas à des examens scolaires exigeants ni à des diplômes supérieurs, mais il préparait aux examens de la vie et au grand examen final du jugement dernier. Que demander de mieux ?

MÉNAGÈRE VAILLANTE ET AVISÉE

L'influence de la mère canadienne tenait plus au rayonnement de sa vie quotidienne qu'à son enseignement verbal. Les enfants et le mari apprenaient surtout leur devoir en regardant vivre la maîtresse de maison dont le comportement valait mieux que des phrases.

Généreuse, vigilante, empressée à rendre service, pensant aux autres plutôt qu'à soi, elle était une prédication vivante.

La tâche de ménagère, à cette époque, n'était pas une sinécure. Son accomplissement exigeait une somme illimitée de savoir, d'habileté et de vertus.

Voici une page de l'abbé Groulx qu'il faut méditer avec ferveur ; c'est un émouvant panégyrique des mamans de chez nous :

« Elles lisaient plus souvent, j'en ai peur, dans leur vieux parois-sien ou dans le *Guide de la bonne ménagère* que dans les catalogues de modes : leurs mains sont rudes, gercées et grillées ; mais du moins ces femmes toutes simples n'ont pas désappris l'art de coudre, de filer, ni de pétrir l'âme de leurs enfants aussi parfaitement que le bon pain. C'est chapeau bas, c'est les larmes dans les yeux qu'il faudrait saluer l'aïeule canadienne-française, (. . .) femme de tête et de bon sens, réglant la dépense selon les revenus, faisant les amas, les cachettes d'argent qui serviront aux heures mauvaises, avec lesquelles l'on fera instruire l'un des fils ; femme de clairvoyance et d'énergie, relevant le courage de son homme, l'empêchant de faire les mauvais coups ; femme de foi, faisant tête aux pires malheurs, capable de sourire, capable de chanter avec des yeux mouillés, pour qu'autour d'elle les courages restent fermes et que Dieu soit béni.

« La mère n'est pas seulement habile ménagère ; l'été elle se réserve aussi la garde du jardin et de la basse-cour ; puis elle trouve le temps de courir aux champs, herser, fauciller, rentrer du grain comme les hommes ; le soir elle file, elle tisse, car c'est le beau temps de l'in-dustrie domestique. »

À ce témoignage de notre historien, ajoutons l'hommage rendu à nos campagnardes par Peter Kalm :

« Ici les femmes en général sont belles ; elles sont bien élevées et vertueuses, et ont un laisser-aller qui charme par son innocence même et prévient en leur faveur. (. . .) En fait d'économie domestique elles surpassent grandement les Anglaises des plantations, qui ne se gênent pas de jeter tout le fardeau du ménage sur leurs maris, tandis qu'elles se prélassent toute la journée, assises, les bras croisés. Les femmes du Canada, au contraire, sont dures au travail et à la peine ; on les voit toujours aux champs, aux étables, ne répugnant à aucune espèce d'ouvrage. (. . .) Lorsqu'elles travaillent au-dedans de leur maison, elles fredonnent toujours, les filles surtout, quelques chansons dans les-quelles le mot amour et cœur reviennent souvent. »

Le visiteur suédois loue en passant « la politesse des habitants, bien plus raffinée que celle des Hollandais et des Anglais ». Hommage qui, à sa façon, s'adresse aux femmes dont l'influence agit sur toute la maisonnée.

LES CITADINES VALENT-ELLES LES RURALES ?

Une partie considérable des femmes de Québec et de Montréal menaient une vie mondaine assez brillante. À Québec surtout, où se croisaient les officiels, les soldats, les fonctionnaires, les dames intriguaient volontiers, organisaient des réunions, des fêtes, des bals. Il en était de même partout où séjournaient des troupes de garnison, même dans les postes éloignés. Hocquart, l'intendant consciencieux, le déplore : « Les femmes d'officiers en général aiment la dissipation ; les maisons du général et de l'intendant sont souvent leur rendez-vous d'assemblée. Elles sollicitent comme elles font partout, pour leurs maris, leurs enfants, leurs parents. (. . .) Toutes aiment la parure et il n'y a point de distinction, de ce côté, entre la femme d'un petit bourgeois de celle d'un gentilhomme et d'un officier. »

Le visiteur suédois, Peter Kalm, établit un parallèle assez piquant entre les dames de Québec et celles de Montréal.

« La Québécoise est une vraie dame française par l'éducation et les manières ; elle a l'avantage de pouvoir causer souvent avec des personnes appartenant à la noblesse, qui viennent chaque année de France, à bord des vaisseaux du roi, passer plusieurs semaines à Québec. À Montréal, au contraire, on ne reçoit que rarement la visite d'hôtes aussi distingués. (. . .) Les manières m'ont semblé quelque peu trop libres dans la société de Québec. J'ai remarqué à Montréal plus de cette modestie qui va si bien au beau sexe.

« Les dames de Québec, surtout celles du plus haut rang, se lèvent à sept heures et s'occupent de leur toilette jusqu'à neuf heures, et cela en prenant leur café ; aussitôt leur toilette finie, elles se placent près d'une fenêtre qui ouvre sur la rue, tiennent à la main quelque ouvrage à l'aiguille, et cousent un point de temps à autre, mais sans cesser de regarder dehors.

« À Montréal, les filles sont moins frivoles et plus adonnées au travail. On les voit toujours occupées à coudre quand elles n'ont point d'autres devoirs à accomplir. Cela ne les empêche pas d'être

Une Montréalaise, Mme Claude-Michel Bégon.

gaies et contentes ; personne non plus ne peut les accuser de manquer d'esprit ni d'attraits.   (. . .) Les filles de Montréal ne voient pas, sans en éprouver un grand dépit, celles de Québec trouver des maris plus tôt qu'elles.   Aussi les chances ne sont pas égales, les jeunes gentilshommes qui viennent de France chaque année sont captivés par les dames de Québec et s'y marient ; mais comme ces messieurs vont rarement à Montréal, les jeunes filles de cette dernière ville n'ont pas souvent semblable fortune. »

L'aristocratie montréalaise se reprit au cours des années funestes qui précédèrent 1760.   L'intendant François Bigot, arrivé dans la colonie en 1748, introduisit à Québec et à Montréal un ton de vie dissipée et dissolue.

La correspondance de Mme Claude-Michel Bégon, en 1748-1749, fourmille de détails révélateurs.

« Les nouvelles sont aujourd'hui que tout le monde apprend à danser.   On s'efforce de bien faire pour briller au bal que l'on espère que M. Bigot donnera ici » (19 décembre 1748).

« . . . Martel et sa femme apprennent à danser, dans l'espérance qu'ils ont d'être des bals que M. Bigot doit donner ici.   (. . .) on peut dire que M. Bigot occasionne bien de la dépense, car il n'y a point assez de maîtres pour tous ceux qui veulent apprendre à danser » (27 décembre 1748).

L'intendant arriva en grand équipage, le 3 février 1749 : « . . . Nous voyons de nos fenêtres toutes les traînes et carrioles passer.   (. . .) il (Bigot) apporte ici toute la grande argenterie menée par son maître d'hôtel et sa gouvernante, ce qui tient la rivière couverte (de traîneaux) depuis la Longue-Pointe jusqu'ici. »

« Tu connais les dames de notre pays : elles sont à troupes chez M. l'intendant.   (. . .) Je crois que toute la ville est plus endormie que moi, car on n'est sorti du bal que ce matin à six heures et demie » (10 février 1749).

Le 2 mars, l'intendant Bigot repartit pour Québec : « Je crois que les prêtres ne sont pas moins contents que moi de le voir partir, car ils le regardent comme le destructeur de la religion au Canada.   (. . .) Il est parti, je crois, avec mille traînes.   C'est un équipage comme il n'y en a point, car il faut des carrioles pour toutes ces glaces et colifichets.

Un bal à la fin du régime français.

Si M. Hocquart (le prédécesseur de Bigot) voyait cela, je crois qu'il mourrait de douleur » (2 mars 1749).

Les mondanités de Québec et de Montréal iront en augmentant jusqu'au drame final de 1760. Un des officiers de Montcalm peindra en quelques traits les Canadiennes du beau monde : « Le sang du Canada est assez beau, les femmes y sont en général jolies, grandes et bien faites, spirituelles, babillardes, maniant la parole avec aisance, paresseuses en tout et pour le luxe au dernier point. »

Ce ne sont pas les femmes de ce milieu qui ont fait le pays, ni qui l'ont aidé aux heures dures !

FEMMES D'AFFAIRES

Si la femme, dans les conditions normales, concentre son action sur le foyer, ce n'est pas par faiblesse ou incapacité. C'est parce que le domaine familial conditionne tout le reste, et que seule la femme peut y réussir pleinement. Irremplaçable sur ce terrain, elle y exerce une mission qui dépasse, en difficultés et en valeurs spirituelles et nationales, les autres activités humaines.

On pourrait relever, dans l'histoire du Canada, plusieurs noms féminins attachés à des entreprises qui sont d'ordinaire réservées aux hommes. Il n'y a pas lieu d'insister sur ces cas d'exception, sauf pour montrer que la femme peut accomplir avec succès des œuvres dont l'envergure dépasse de beaucoup le cadre apparemment restreint du foyer.

Un nom souvent cité, celui de Madame de Repentigny, révèle les habiletés féminines dans le domaine des entreprises industrielles. Cette maman de sept enfants vint au secours de ses compatriotes au début de la guerre qui aboutit au fatal traité d'Utrecht. Vers 1700, la dévaluation du castor et la saisie, par les Anglais, de nombreux navires de ravitaillement provoquèrent la raréfaction des étoffes. Si on avait suivi les sages conseils de Talon, même les femmes de la ville auraient pu se pourvoir de tissus sans compter sur la France. Mais l'élan donné par le judicieux intendant n'avait pas été maintenu.

Mme de Repentigny, née Agathe de Saint-Père, décida qu'elle établirait elle-même une fabrique d'étoffes. Elle n'avait pas d'ouvriers ? Huit prisonniers anglais, amenés de Nouvelle-Angleterre lors des raids de francs-tireurs, connaissaient le fonctionnement des métiers à tisser. Elle les embaucha   La matière première manquait ? Elle utilisa des substituts. Avec des écorces d'arbres, elle fabriqua de grosses couvertures ; l'ortie lui permit de produire de la toile solide, et, avec la laine des moutons du pays, elle fabriqua une espèce de gros droguet qui fut d'un grand secours aux habitants. En 1707, les tisserands anglais, rachetés par Boston, abandonnèrent l'atelier de Mme de Repentigny. Elle continua quand même, avec assez de succès, puisqu'en France on semblait redouter la concurrence de son industrie ! L'intendant Raudot rassura le ministre en 1708 : « . . . les petites étoffes qu'elle fait faire ne feront aucun tort à celles de France, lesquelles seront toujours préférées à cause de leur bonne qualité et bonne fabrique. »

L'atelier de Mme de Repentigny cessa sa production après la signature de la paix d'Utrecht (1713).

Des femmes s'intéresseront même aux pêcheries. Anne Lemire, veuve de M. Rupalley, obtient, en 1715, la concession de « tous les endroits de pêche à l'éturgeon et autres poissons qui sont autour de l'île de Montréal ».

Un peu plus tard, Marie-Anne Barbet, veuve de Louis Fornel, prend la direction des entreprises de chasse au phoque de son mari et obtient d'autres concessions à Tadoussac et sur la côte Nord. À la fin du régime français, elle dirige une puissante compagnie qui exploite les bassins du Saguenay et du fleuve Hamilton.

Autre exemple d'initiative de caractère masculin : Marie-Charlotte Denys de la Ronde, mère de seize enfants, se trouve dans une situation précaire après la mort de son mari, Claude de Ramezay (1724). Elle s'en tire en exploitant les réserves de pin et de chêne de ses fiefs du Richelieu. Sa fille Louise prit sa succession et développa l'entreprise en achetant des moulins à scie et à farine.

MORT DE Mgr DE SAINT-VALLIER

Infatigable et indomptable jusqu'à la fin, Monseigneur de Saint-Vallier mourut à Québec le 26 décembre 1727. Il présidait aux destinées de l'Église canadienne depuis quarante-trois ans.

Ensemble, nos deux premiers évêques ont donné au pays quatre-vingt-douze ans de service. C'est d'eux surtout que parle le protestant Parkman lorsqu'il affirme que l'Église catholique, mieux encore que le pouvoir royal, « modela le caractère et le destin de la colonie ».

Leurs successeurs se comportèrent autrement : Mgr de Mornay, capucin, ne voulut même pas traverser l'océan. Son coadjuteur, Mgr Dosquet, sulpicien, vint au pays en 1729 et dirigea les affaires ecclésiastiques durant trois ans. En 1733, Monseigneur de Mornay résigna ses fonctions et Monseigneur Dosquet devint évêque en titre. Sa santé le força à démissionner à son tour, en 1739. On espérait beaucoup de son successeur, Monseigneur de Lauberivière. Le prélat était jeune, à peine vingt-huit ans, et on le savait cultivé, pieux, très actif. À l'été 1740, il s'embarqua pour Québec ; la maladie terrassa quarante-sept hommes au cours de la traversée. Cent cinquante malades furent hébergés à l'Hôtel-Dieu dès l'arrivée. L'évêque semblait avoir échappé à la fièvre pourpre, mais douze jours à peine après son arrivée une attaque brutale le terrassa.

La stabilité épiscopale revint avec le sixième titulaire, Monseigneur de Pontbriand. Sacré évêque en 1741, à Paris, il se rendit immédiatement à son poste. Très dévoué, attentif à tous les aspects de la situation canadienne, il dirigea avec fermeté son immense diocèse. Sa carrière prendra fin en 1760, quelques semaines seulement avant la capitulation de la Nouvelle-France.

LA PREMIÈRE INDUSTRIE LOURDE

L'intendant Talon avait tenté vainement d'établir des forges en Nouvelle-France. Il savait que les articles de fonte ou de fer rendraient de précieux services aux habitants. Ses plaidoyers, son insistance auprès de Colbert, n'aboutirent à rien.

Soixante-cinq ans plus tard le minerai ferrugineux des Trois-Rivières sera enfin exploité. En 1729, un négociant d'origine trifluvienne, François Poulin de Francheville, adressa une supplique au ministre Maurepas pour obtenir un droit exclusif sur les dépôts ferrugineux de la région. Le probe intendant Hocquart appuya la demande et Louis XV concéda le monopole demandé, en 1730.

Les Forges de Saint-Maurice.

Le concessionnaire procéda à des travaux d'aménagement mais l'entreprise dépassait ses ressources pécuniaires. Il s'adjoignit des associés et fonda la compagnie des Forges Saint-Maurice. Les associés retinrent les services d'un maître de forges qualifié, mais trop entreprenant. Le haut-fourneau fut officiellement allumé le 20 août 1738, mais les contretemps et les imprudences amenèrent l'écroulement de la compagnie en 1740. L'usine métallurgique, prête à produire, passa sous le contrôle royal. Elle resta en activité jusqu'en 1760 et rendit service à la colonie en lui fournissant des poêles, des marmites, des canons, des boulets, etc.

Les Forges Saint-Maurice connaîtront un regain de vitalité sous le régime britannique. Leurs fourneaux ne s'éteindront qu'en 1883. Elles étaient, à cette date, les plus anciennes usines métallurgiques de l'Amérique du nord.

ROUTE QUÉBEC-MONTRÉAL

Dans un pays immense comme le Canada les moyens de transport tenaient une place importante dans la vie sociale et économique. Les communications par eau furent pendant longtemps les seules possibles. Des tronçons de route terrestre s'ouvrirent ici et là dans les seigneuries, mais il fallut attendre l'année 1735 pour voyager par terre de Québec à Montréal.

L'intendant Hocquart écrit, le 15 octobre 1735, que « M. de Boiscler, grand-voyer, a fait ses tournées à l'ordinaire, pendant l'hiver et l'été derniers, pour visiter et perfectionner les chemins. (. . .) Il est descendu au mois d'août dernier en chaise de Montréal à Québec. Ces chemins procurent de nouveaux établissements et rendent les communications d'un endroit à un autre plus faciles qu'elles n'ont jamais été. » En 1736, Hocquart annonce avec joie que « plus de cinquante nouveaux habitants se sont établis depuis deux ans sur le chemin du côté du lac Saint-Pierre. »

Même avec cette route carrossable, les habitants de Québec et de Montréal ne pouvaient « se voisiner » facilement. Point de ponts : toutes les rivières, même des rivières secondaires comme celles de Champlain et de Berthier, étaient franchies en bac. Le voyage durait cinq jours.

LOUISBOURG, SENTINELLE AVANCÉE

Le traité d'Utrecht laissait aux Anglais le contrôle de tout le littoral américain. La possession de Terre-Neuve et de l'Acadie rendait la situation précaire pour les Français et risquait d'amener le blocus du Saint-Laurent. Les autorités prévinrent les coups en fortifiant le Cap-Breton que Louis XIV avait refusé de céder.

Dans une rade capable d'abriter trois cents vaisseaux, les ingénieurs bâtirent une forteresse rivalisant avec les plus puissantes cités militaires de l'Europe. Les travaux durèrent huit ans (1720-28) et coûtèrent trente millions de livres, soit plus de soixante fois les dépenses annuelles d'administration de toute la Nouvelle-France.

À la fois port commercial et militaire, Louisbourg se dressait comme une sentinelle d'avant-garde aux portes de la colonie. La ville fortifiée deviendra le principal objectif des attaques anglaises.

JUSQU'AUX ROCHEUSES

Les rêves d'expansion française auraient dû se dissiper après le démantèlement de la frontière atlantique. Il n'en fut rien. Pendant que la France essayait de compenser la perte de l'Acadie par la fortification de Louisbourg, des Canadiens continuaient d'agrandir le domaine français vers l'ouest et le nord. Louisbourg avait pour mission de contenir les Anglais de Terre-Neuve et de l'Acadie. Restaient ceux de la Baie d'Hudson. La Vérendrye et ses fils s'en chargeront, non pas en les attaquant, mais en détournant à la source les convois de fourrures.

Les commerçants anglais de la baie d'Hudson aimaient mieux payer les fourrures plus cher et ne pas se déranger. Ils restaient bourgeoisement dans leurs établissements, aux embouchures des principales rivières, et ils attendaient la venue des canots indiens. Il suffisait d'aller aux points de rencontre des routes d'eau descendant vers la baie d'Hudson et d'arrêter amicalement au passage les flottilles de canots. Les Indiens se laisseraient facilement dissuader d'accomplir le long et fastidieux voyage vers les postes lointains de la baie d'Hudson.

L'homme qui conçut ce plan hardi était un Trifluvien, Pierre Gaultier de Varennes, sieur de la Vérendrye. Né en 1685, il avait guerroyé en Nouvelle-Angleterre et s'était distingué, en Europe, à la bataille de Malplaquet.

De retour au Canada, il reçut comme récompense un privilège de traite à la Gabelle, près des Trois-Rivières. De là, il passa à la direction du poste lointain de Kaministiquia, aux limites du territoire exploré.

L'endroit était propice aux projets de grande aventure. La Vérendrye interrogeait les Indiens, prenait note de leurs renseignements, dessinait des ébauches de cartes. La perspective d'enlever aux Anglais le contrôle du commerce n'était pas pour déplaire à La Vérendrye, mais des aspirations plus hautes le poussaient vers l'ouest

inconnu. Il songeait à la mystérieuse mer de l'Ouest et caressait l'espoir d'y parvenir.

Il soumit au gouverneur Beauharnois et à l'intendant Hocquart un plan d'expédition. La permission fut accordée, mais sans aucun appui financier. La Vérendrye intéressa à son projet des commerçants de Montréal et il put se mettre en route avec cinquante hommes, parmi lesquels se trouvaient trois de ses fils et son neveu, la Jemmerais, frère de Mme d'Youville (1731).

Malgré les difficultés et les contretemps, La Vérendrye atteignit le lac Winnipeg en 1733. Il se trouvait à 1 600 milles de Montréal. Les exigences de ses bailleurs de fonds le forcèrent de revenir en canot à Montréal. Il put honorer ses dettes et revint à Winnipeg en 1735, amenant avec lui son quatrième fils, Louis, âgé de 18 ans.

Une tragédie endeuilla l'année 1736 : le fils ainé de La Vérendrye, Jean-Baptiste, fut massacré par les Sioux avec 20 compagnons : le père Aulneau, jésuite, périt également dans cette tuerie.

Mais l'avance se poursuit quand même. Déjà, la route de Montréal à Winnipeg est jalonnée de postes que fréquentent les Indiens ; La Vérendrye doit se défendre constamment contre les intrigues, et il est obligé de revenir deux autres fois à Montréal. En 1742, forcé une quatrième fois d'aller se disculper, La Vérendrye chargea son fils Pierre d'aller vers la mer de l'Ouest. Le 1er janvier 1743, les explorateurs se heurtèrent à des montagnes infranchissables. Les guides indiens refusèrent d'aller plus loin. Les montagnes Rocheuses étaient découvertes, mais le secret de la mer de l'Ouest restait inentamé.

Au Saint-Laurent, La Vérendrye, père, a réussi à obtenir justice grâce aux démarches de ses protecteurs Beauharnois et Hocquart. Il reçut même la Croix de Saint-Louis, et il se préparait à repartir pour l'Ouest lorsque la mort le terrassa, à l'âge de soixante-quatre ans (1749).

Les fils de La Vérendrye furent écartés des postes qu'ils avaient érigés et des mesquineries administratives rendirent vaine la plus audacieuse campagne d'expansion du xviiie siècle.

MARGUERITE DE LA JEMMERAIS

Pendant que son frère et son oncle accomplissent des prouesses glorieuses au-delà des limites du Canada connu, Marguerite de la

Jemmerais, veuve d'Youville, se prépare dans l'ombre à des actions de plus longue portée que celles des explorateurs.

Après une vie de ménage pénible et méritoire, Marguerite d'Youville s'était trouvée, à la mort de son mari (1730), dans une situation difficile. Elle dut pourvoir aux besoins de ses deux jeunes enfants et honorer les dettes laissées par son époux. Elle trouva moyen, par surcroît, de s'intéresser aux pauvres, de les visiter, de les assister. Son directeur spirituel, M. Louis Normant, sulpicien, l'engagea à donner un caractère plus défini à ses œuvres de charité. Le 30 octobre 1738, Mme d'Youville et trois de ses collaboratrices promirent solennellement de se consacrer au service des pauvres. Rendue à demi impotente par la maladie, Mme d'Youville poursuivit quand même son œuvre.

En 1745, un incendie rasa la maison où s'abritait l'équipe charitable. Deux jours après, Mme d'Youville et ses compagnes renouvelèrent l'engagement solennel de servir les pauvres jusqu'à la fin de leur vie.

Un événement important se produisit le 7 octobre 1747 : la prise de possession de l'hôpital des Frères Charon. Par une ordonnance de l'intendant Hocquart, Mme d'Youville avait reçu mission de sauver l'établissement d'une ruine complète. La communauté des Frères Charon se trouvait réduite à deux frères : l'hôpital n'abritait que quatre vieillards et tombait en ruines. Piètre héritage pour une femme aussi pauvre que les miséreux qu'elle adoptait !

Mme d'Youville promit de relever l'hôpital et elle s'engagea à payer les 28 000 livres de dettes dont l'institution était grevée. En peu de temps des transformations quasi magiques changèrent complètement l'édifice qui criait sa misère par les « 1 226 carrés de vitres brisées à ses fenêtres. » Des salles rajeunies s'ouvrirent aux malheureux de toute catégorie : vieillards abandonnés, enfants trouvés, invalides indigents, aliénés, femmes perdues.

Au moment où tout allait pour le mieux, l'intendant Bigot avertit Mme d'Youville d'avoir à quitter l'hôpital qui passait aux Hospitalières de Québec. Mme d'Youville se rebiffa et entreprit de défendre ses droits. Bigot s'était attaqué à trop forte partie. Il dut baisser pavillon. En 1752, Louis XV annula l'ordonnance de l'intendant et accorda l'existence légale à la petite communauté de Mme d'Youville. Mgr de Pontbriand reconnut canoniquement le nouvel

Mère Youville.

institut des Sœurs Grises en 1755.   La première vêture eut lieu le 25 août 1755.

Mère d'Youville resta supérieure de la communauté jusqu'à sa mort (1771).

Le 3 mai 1955, Sa Sainteté Pie XII a reconnu l'héroïcité des vertus pratiquées par la servante de Dieu et des pauvres.   S. S. Jean XXIII l'a proclamée bienheureuse quatre ans plus tard (3 mai 1959).

L'Hôpital des frères Charon restauré par Mère Youville.

J. Du

Suzor-Côté

V

DÉCLIN
1744-1763

LOUIS JOSEPH DE St VÉRAN MARQUIS
DE MONTCALM LIEUTENANT
GÉNÉRAL DES ARMÉES DU ROI

La France perd l'Amérique...

_____

(*1744-1760*) Les habitants de la Nouvelle-France sont devenus, en cent quarante ans (1608-1748), un peuple de 50 000 habitants. C'est peu, si on ne pense qu'aux chiffres. Mais, compte tenu des circonstances, des obstacles et des moyens, ce résultat apparaît impressionnant. Dans la même période, la Nouvelle-Angleterre s'était largement développée, non sur le plan territorial mais sur le plan du nombre : sa population dépassait le million. Le duel va s'engager entre les deux groupes. Malgré la forte disproportion des effectifs, la lutte sera serrée.

Le général James Wolfe.

LA PREMIÈRE CIBLE

ON menait grande vie à Louisbourg, aux environs de 1740. Les garnisons au repos sont difficiles à contrôler et les trois pères récollets chargés du ministère fulminaient en vain contre les écarts de conduite, les fêtes mondaines, le jeu d'argent. On écoutait distraitement les sermons.

La sécurité ne favorise ni la sagesse ni la prudence. La cité-forteresse de l'Atlantique semblait toute puissante. Nulle part en Amérique, la France n'avait déployé pareil effort. Louisbourg se croyait imprenable.

La garnison et la population civile avaient à leur service des écoles dirigées par cinq religieuses de la Congrégation de Notre-Dame et un hôpital tenu par les Frères de la Charité.

Orgueil de la France et terreur des adversaires, Louisbourg inquiétait beaucoup les colonies anglaises. En 1744, les courriers d'Europe annoncèrent que Louis XV venait de déclarer la guerre à l'Angleterre. À Boston, on n'attendait que cette nouvelle pour lancer un assaut contre la ville abhorrée. Au cours de mars 1745, une armée de 4 300 hommes parut devant la citadelle. La garnison, fait inexplicable, ne s'élevait qu'à 560 soldats. Louisbourg capitula le 19 juin.

« POUR AVOIR NÉGLIGÉ LA MER . . . »

La perte de Louisbourg eut beaucoup de retentissement en France. Une revanche s'imposait. On organisa, en 1746, une puissante escadre, la plus forte jamais équipée : 26 unités de guerre portant 800 canons, et 60 transports. Les effectifs, soldats et marins, montaient à 7 000 hommes.

Un pareil déploiement montrait que la France ne se désintéressait pas de ses colonies d'outre-mer. Le commandant de la flotte, le duc d'Anville, reçut l'ordre de reprendre Louisbourg, d'attaquer ensuite

Boston et d'aller jusqu'aux Antilles pour y capturer les îles sous contrôle anglais.

Un fier projet que les éléments se chargèrent de faire échouer. La traversée, coupée de calmes plats, dura près de 100 jours. On dut rationner les équipages et les troupes ; les maladies habituelles sévirent durement. À proximité des côtes, d'effroyables tempêtes dispersèrent les vaisseaux dont la moitié seulement atteignit l'Acadie. La peste et le scorbut tuèrent 800 soldats et 1 500 marins. Le duc d'Anville y laissa la vie. La Jonquière voulut quand même poursuivre la campagne, mais de nouvelles tempêtes le forcèrent à retourner en France avec deux vaisseaux chargés de 800 malades.

Le cruel échec, dû aux forces incontrôlables de la nature, ne découragea pas la France. Elle forma de nouveau une escadre, mais bien inférieure à la précédente : 5 vaisseaux armés et 30 transports.

La Jonquière commandait la flottille. Sur les côtes d'Espagne, une formation anglaise deux fois plus puissante lui bloqua la route. La Jonquière se défendit âprement, mais, devant des forces trop considérables, il dut baisser pavillon et se constituer prisonnier des Anglais (1747).

Ces deux échecs entamaient dangereusement la trop faible marine française. Une troisième escadre fut formée sous le commandement de M. d'Estaudière, mais ce suprême effort échoua comme les précédents.

Pour avoir « négligé la mer », la France sera dominée par l'Angleterre devenue la reine incontestée des océans.

En 1748, le traité d'Aix-la-Chapelle rendit Louisbourg à la France.

UN BEL EFFORT CANADIEN

La France venait de prouver qu'elle était disposée à consentir de lourds sacrifices pour ses colonies d'Amérique. Au sauvetage du Canada, elle avait mis les deux plus puissantes escadres dont elle pouvait disposer. Les éléments, plus que les hommes, étaient responsables de son échec.

Mais tout n'était pas perdu. Une personnalité de première grandeur, le marquis de la Galissonnière, pensa que la Nouvelle-France pouvait sortir victorieuse des assauts qui se préparaient. Nommé remplaçant intérimaire du gouverneur La Jonquière, retenu prisonnier en Angleterre, le marquis ne resta que deux ans (1747-1749) au Canada. Aidé de l'intendant Hocquart, il put, en si peu de temps, élaborer un plan d'ensemble d'une ampleur et d'une pénétration qui rappellent les meilleurs jours du génial Talon.

Il indiqua les mesures à prendre pour fortifier les points les plus vulnérables des frontières, surtout du côté acadien. Les postes de contrôle des routes des Grands Lacs et du Saint-Laurent furent aussi l'objet de son attention clairvoyante, mais, c'est sur la vallée de l'Ohio, un territoire encore officiellement inoccupé, que se concentra son effort.

La vallée de l'Ohio constituait une zone intermédiaire entre la France du Saint-Laurent et la France du sud, la Louisiane, où Iberville et son frère Bienville avaient édifié des postes français occupés par plus de 2 000 personnes. Les communications intérieures entre ces deux secteurs ne pouvaient s'opérer librement sans la maîtrise de la vallée de l'Ohio.

Des motifs impérieux rendaient urgente la maîtrise de ces territoires convoités depuis longtemps par les trafiquants de fourrures de la Nouvelle-Angleterre. Outre les revenus qu'il apportait, ce pays offrait à la Nouvelle-Angleterre sa seule chance de s'agrandir vers l'intérieur, au-delà des Alléghanys. Une fois la France bien installée, toute possibilité d'expansion se trouverait refusée aux habitants des colonies anglaises.

La Galissonnière démontra, qu'avec l'envoi rapide d'une dizaine de milliers de colons et de soldats, la prépondérance française en Amérique pouvait être assurée. Comme mesure préliminaire, il dépêcha, le 22 juillet 1749, un détachement de 200 Français et de 30 Indiens, sous le commandement de Céloron, chargé de revendiquer les droits de la France et de renvoyer chez eux « les Anglais qui viennent trafiquer dans ces cantons où ils se proposaient d'établir cette année un poste. »

La Galissonnière s'embarqua pour la France à la fin de septembre 1749. Il essaya en vain d'obtenir l'envoi des contingents destinés à l'Ohio.

En 1753, le gouverneur Duquesne donna suite à la politique de La Galissonnière. Il le fit avec intelligence et énergie malgré les risques de guerre que présentait son attitude.

Au cours des années 1753 et 1754, il fit occuper militairement la vallée de l'Ohio et il érigea quatre postes fortifiés, dont le fort Duquesne, qui, durant cinq ans, défiera victorieusement tous les assauts.

Cette ligne de postes complétait la liaison entre le Saint-Laurent, les grands lacs et la Louisiane.

Cette même année 1754, un premier conflit éclata entre les garnisons françaises et les Virginiens commandés par Georges Washington. Le commandant français envoya Jumonville sommer l'intrus de quitter les lieux. Le parlementaire et son escorte furent attaqués par les hommes de Washington et Jumonville fût tué (mai 1754). En riposte, le frère de la victime prit d'assaut le fort Necessity que venaient d'ériger les Virginiens et il en chassa Washington.

SANS DÉCLARATION DE GUERRE

En 1755, la France et l'Angleterre étaient encore officiellement en paix. La déclaration officielle n'aura lieu qu'en 1756.

Le général Braddock, venu tout exprès d'Angleterre avec des soldats réguliers, décida quand même de faire la conquête du Canada. Il se réserva la partie la plus facile, la vallée de l'Ohio, et dépêcha deux corps d'armées, l'un contre Saint-Frédéric, à la tête du lac Champlain, et l'autre contre Niagara, au sud-ouest du lac Ontario. Les trois armées devaient ensuite opérer leur ralliement à Montréal.

Braddock ne prévoyait aucun embarras majeur dans sa marche vers Montréal. Il eut une surprise désagréable. À un point de la rivière Monongahéla, un affluent de l'Ohio, ses 2 200 soldats furent arrêtés par une petite troupe commandée par le séduisant officier canadien, Daniel de Beaujeu. Les soldats britanniques ne connaissaient pas la tactique des combats en forêt ; ils furent honteusement dispersés par les 900 hommes de Beaujeu, en très grande majorité Indiens et Canadiens. Beaujeu périt dès le début de l'action et Braddock mourut de ses blessures quatre jours plus tard. « Nous avons été honteusement battus ; nous avons tout perdu, après avoir cru tout gagner », écrivit Washington qui était de la partie.

Le corps d'armée chargé d'envahir le pays par le lac Champlain et le Richelieu fut plus heureux. Dieskau avait ordre d'arrêter les forces américaines, formées surtout de miliciens. Sans faire appel aux soldats canadiens qui étaient à sa disposition, Dieskau se porta à l'attaque, avec ses seuls effectifs. Le combat se déroula près du lac Saint-Sacrement. Les milices américaines eurent le dessus sur les troupes régulières de France et Dieskau fut fait prisonnier.

Dans l'ensemble, l'assaut anglais avait échoué. L'Ohio et le haut Richelieu restaient aux mains des Français.

RIVALE DE LOUISBOURG

Après le traité d'Aix-la-Chapelle, l'Angleterre se prépara fiévreusement à reprendre les hostilités en Europe et en Amérique. La France, restait une ennemie redoutable. La diplomatie britannique coalisera de nouveau contre elle les nations européennes, en versant des contributions alléchantes à ses alliés éventuels, tout en veillant à maintenir l'équilibre européen.

En Amérique, grâce au contrôle de la mer, l'envoi de troupes et de munitions est devenu facile. La mère patrie pourra donc prêter main forte à ses colonies qui n'osent, malgré leur population d'un million, s'attaquer seules aux 60 000 Canadiens du Saint-Laurent.

En attendant la reprise des hostilités, l'Angleterre fortifie ses positions en Acadie. Elle a cédé Louisbourg en 1748, mais ce n'était qu'un abandon diplomatique. L'Acadie doit devenir intégralement anglaise à brève échéance. En 1749, les Anglais créent, en quelques semaines, une cité importante : Halifax. En 1751, la population de cette ville-champignon dépassera 4 000 habitants et sa garnison s'élèvera à 2 000 soldats. Louisbourg n'a qu'à bien se tenir.

ON SE DÉBARRASSE DE HUIT MILLE ACADIENS

Le voisinage de quelque 12 000 Acadiens agace maintenant les Anglais. Depuis 1713, ils ont laissé les colons français tranquilles, satisfaits de les voir respecter le serment de fidélité et de neutralité qu'ils ont prêté. Leur présence ne gênait personne ; ils fournissaient des vivres et du gibier et, d'autre part, ils constituaient une clientèle intéressante pour les commerçants. Depuis la fondation et l'expansion rapide d'Halifax, la situation n'est plus la même.

On redoute, d'autre part, que les Acadiens finissent par céder aux pressions faites pour les rallier aux Français. Il n'y a qu'à les transporter en d'autres lieux, assez loin pour les empêcher de nuire. En 1755, l'indéfendable et cruelle expulsion est exécutée de la façon la plus inhumaine. Huit mille personnes sont chargées sur des navires et transportées en différents endroits de la côte américaine, sans vivres ni effets personnels. « Des deux mille familles acadiennes, il n'y en eut pas une seule qui ne fût atteinte par le grand dérangement » (Georges Langlois).

Il a pu se produire, au cours de campagnes militaires, des déplacements de population motivés par des prétextes politiques. Mais jamais ces déplacements n'ont été faits dans des conditions aussi froidement inhumaines ; surtout, jamais on n'a attendu quarante ans après la conquête victorieuse pour déblayer le terrain.

LA SITUATION AU SAINT-LAURENT

Au cours du mois de mai 1756, le marquis de Montcalm, successeur du malheureux Dieskau, fit son entrée à Québec. Il avait ordre de défendre victorieusement le Canada.

Montcalm était âgé de 44 ans ; bel homme, brave, cultivé, primesautier et parfois mordant. Des officiers d'élite l'encadraient : Lévis, Bourlamaque, Bougainville. Une très belle équipe, mal préparée peut-être à comprendre et à estimer les Canadiens de naissance, ceux que Charlevoix appelait assez bizarrement les « Créoles du Canada ». Les relations entre l'État-Major et les miliciens du pays furent loin d'être cordiales.

Les Canadiens, moins raffinés peut-être que leurs « cousins » de France, avaient toutefois l'avantage de connaître beaucoup mieux que les Français de France les conditions de vie et les procédés de combat du pays. Ils étaient, par ailleurs, d'une bravoure et d'une endurance extraordinaires, mais ne se laissaient pas facilement conduire. Charlevoix avait écrit à leur sujet : « On prétend qu'ils sont mauvais valets ; c'est qu'ils ont le cœur trop haut et qu'ils aiment trop leur liberté. (. . .) S'ils ne sont pas aisés à discipliner, cela part du même principe, ou de ce qu'ils ont une discipline qui leur est propre et

qu'ils croient meilleure pour faire la guerre aux Sauvages, en quoi ils
n'ont pas tout-à-fait tort. »

La nomination d'un Canadien au poste de gouverneur, en 1755,
n'était pas de nature à améliorer les choses. Le marquis de Vau-
dreuil-Cavagnal paraissait un peu terne aux côtés du brillant et pétil-
lant marquis de Montcalm. Il ne manquait pas de prudence ni de
sagesse, mais les conflits ne tardèrent pas à éclater et ils aggravèrent
une situation déjà très difficile. Les relations entre le gouverneur et
les officiers supérieurs de l'armée furent continuellement coupées
d'incidents désagréables dont les échos parvenaient en France.

Il est bien difficile, même aujourd'hui, de départager les torts.

DISPROPORTION DES FORCES

Le chef des armées canadiennes disposait de forces insignifiantes
si on les compare aux armées adverses.   À 5 000 hommes de troupes
régulières, Montcalm pouvait ajouter 12 000 miliciens, à l'égard desquels il entretenait d'injustes préjugés.   Du côté anglais, la suprématie
était écrasante : 345 vaisseaux de guerre contre 45 à la France.
D'autre part, sans compter les renforts d'Angleterre, les colonies,
avec une population de 1 500 000, pouvaient enrôler 75 000 miliciens.

Malgré l'inégalité des forces, l'initiative de la guerre resta aux
Français durant les deux premières années du conflit. En 1756,
Montcalm, par une feinte habile, fit croire qu'il attaquerait du côté
du lac Champlain, alors qu'il visait le poste détesté d'Oswego, au sud-
est du lac Ontario. Le 10 du mois d'août, il apparaissait subitement
et commençait le siège. Oswego, ou Chouaguen comme l'appelaient
les Canadiens, capitula au bout de quatre jours. Il y eut peu de
victimes du côté français ; la garnison de 1 700 hommes se constitua
prisonnière. Avec le fort on avait saisi la flotte anglaise de l'Ontario ;
la route de l'ouest se trouvait ainsi complètement libérée.

L'année suivante, Montcalm se porta, avec la même fougue,
contre le fort William-Henry, qui commandait la route sud du lac
Champlain et du Richelieu. La garnison de 2 200 hommes capitula
au bout de trois jours de siège (9 août 1757).

Le succès éclatant des deux premières campagnes de Montcalm
ne suffit pas à le rassurer pour l'avenir. Il s'attendait au pire.

WILLIAM PITT SE FÂCHE

Les réussites françaises créèrent une impression désagréable en Angleterre. L'orgueil britannique endurait mal d'être humilié par une poignée de Français. En juillet 1757, William Pitt reprit la direction des affaires et s'imposa comme programme « de sortir l'Angleterre de l'énervement où elle se trouve et qui permet à 20 000 soldats français de la troubler. »

Il commença par mettre en état parfait une marine de guerre vingt fois plus puissante que celle de la France. Il décida ensuite de régler en vitesse le sort des colonies françaises d'Amérique. À cet effet, il lança dans la mêlée une armée de près de 100 000 hommes, formée en partie de troupes régulières et de miliciens enrôlés dans les colonies.

LOUISBOURG RAYÉ DE LA CARTE

En premier lieu, Pitt ordonna d'en finir avec l'irritante forteresse de Louisbourg. Une puissante flotte de 192 unités et des effectifs dépassant 15 000 hommes sont à proximité de Louisbourg au début de juin 1758. Le siège commence immédiatement sous la direction du général Amherst. Drucour, le commandant du fort, dispose de 5 700 combattants et de 11 navires. Il résiste héroïquement pendant cinquante jours ; son admirable épouse le seconde et remonte les courages. Le 26 juillet 1758, le poste se rend. La garnison et les habitants sont rapatriés en France. L'orgueilleuse forteresse qui incarnait la fierté française n'est plus qu'un monceau de ruines.

CARILLON

Pendant que l'offensive contre Louisbourg est en bonne marche, un corps d'armée s'avance contre la Nouvelle-France avec Montréal comme objectif. Le général Abercromby commande 15 000 hommes ; il sait que Montcalm ne dispose que de 3 500 soldats et il escompte une victoire facile.

Montcalm s'était retranché près du fort Carillon, à la jonction des lacs Saint-Sacrement et Champlain. À midi et demi, le 8 juillet 1758, la bataille s'engagea. Elle se continua, impitoyable, meurtrière, héroïque de part et d'autre, jusqu'à sept heures du soir, alors qu'Abercromby ordonna la retraite.

« Dans toute l'histoire de France, pas de victoire plus radieuse que celle de Carillon. (. . .) Au grand soleil de juillet, dans un site merveilleux, la bravoure française s'est donnée une de ses plus belles fêtes. » (Claude de Bonnault).

Le général victorieux rendit grâce au Ciel de sa victoire : « Ce ne fut point Montcalm et sa prudence . . . c'est le bras de ton Dieu, vainqueur sur cette croix. »

Sur le site de Carillon, Montcalm voulut commémorer son triomphe en faisant ériger une grande croix aux armes de France.

La nouvelle de la victoire souleva l'enthousiasme de la mère patrie. Sur la place de l'hôtel-de-ville, à Paris, des feux d'artifice marquèrent le joyeux événement et le *Te Deum* fut chanté dans toutes les églises du royaume.

LA FIN APPROCHE

Malgré l'éclatant triomphe de Carillon, le bilan de l'année 1758 n'est pas rassurant. Louisbourg n'existe plus ; à l'ouest, le fort Frontenac est passé aux Anglais, après avoir joué son rôle de sentinelle avancée durant 85 années ; au sud, la France a évacué la vallée de l'Ohio. Le Canada est vulnérable de toutes parts, partout ouvert aux invasions. Il ne lui reste que le Saint-Laurent, où Montcalm se replie et tente d'organiser la résistance.

Le chef sent que la fin est proche. Il garde peu d'espoir mais il tiendra jusqu'au bout, ne négligeant rien, se dépensant sur tous les points. Dommage qu'il ne se soit pas mieux entendu avec son supérieur Vaudreuil.

Dans la capitale, on s'amuse comme si tout allait pour le mieux dans le meilleur des mondes. Durant les mois d'hiver, on mène une vie endiablée : banquets, bals, pique-niques. Surtout on boit et on joue à l'argent. Montcalm est forcé de se mêler à cette vie mondaine, mais l'insouciance de cette belle société l'écœure.

Sa correspondance des années 1758 et 1759 trahit son désenchantement : « Le jeu continue toujours. L'intendant heureusement perd 80 000 francs, et, entre nous, en est très piqué. (. . .) Grand bal ce soir chez l'intendant, gros jeu, cela va sans dire ». Le 12 février, Montcalm note : « Le jeu est fini. L'intendant paraît honteux, fait amende honorable, perd deux cent mille francs. »

Les pronostics inquiétants de l'année 1759 n'assagissent pas les gais vivants de la capitale. Montcalm écrit, le 4 janvier : « Un bal dimanche. La paix, ou tout ira mal. 1759 sera pis que 1758. Je ne sais comment nous ferons. Ah ! que je vois noir. »

Les habitants et les troupes sont mal nourris. L'agriculture est délaissée, faute de bras, parce que les hommes valides sont en service commandé. En 1758, un tiers des terres est resté en friche, en 1759 il y en aura la moitié. Malgré la misère générale, on fait bonne chère à Québec. Le 17 janvier, Montcalm se plaint d'avoir été obligé, par son rang, de participer à un pique-nique : « . . . je fournis l'illumination, violons, orgeat, bière, partie de vin et de quoi faire vingt-six plats sur soixante-dix qu'il y aura à deux tables . . . »

Le général a le cœur serré : « Je ne crois pas que Québec me possède l'hiver prochain, si le malheur s'obstine à nous retenir en Canada. On se divertit, on songe à rien, tout va et ira au diable » (janvier 1759).

Au printemps, il faut bien se remettre aux choses sérieuses. On prévoit un assaut massif que les frontières, ouvertes de tous les côtés, rendront sans doute fatal. Au début de juillet, Montcalm fait le relevé des forces dont il dispose : 9 810 hommes. Il prend toutes les dispositions possibles ; il opérera des prodiges pour faire face partout à la situation.

RUÉE CONTRE LA NOUVELLE-FRANCE

L'attaque anglaise se déploya, suivant la tactique habituelle, sur trois fronts : grands lacs, Richelieu, et Québec par mer. Le seul poste resté français à l'ouest, Niagara, tomba sans résistance, à la fin de juillet. Au centre, Amherst dirigeait l'offensive. Bourlamaque retarda son avance tant qu'il put, abandonnant tour à tour, après les avoir fait sauter, les forts Carillon et Saint-Frédéric. Il se retrancha à l'île aux Noix. Amherst préféra temporiser et attendre l'effet de l'attaque contre Québec.

L'Angleterre avait mis toutes ses forces en jeu pour assurer la capture de l'imprenable citadelle. Pitt avait confié à son homme de confiance, James Wolfe, « la plus forte escadre que l'Angleterre, cette année-là, eût mise à la mer, » soit le quart de tout le tonnage militaire du Royaume-Uni : 76 vaisseaux armés ; 150 transports. L'armée d'invasion comprenait 13 500 matelots et 9 000 soldats.

Par un tour de force prodigieux, cette armada remonta le fleuve sans accidents, malgré les difficultés qu'offrait la voie fluviale. Le 27 juin, les premiers détachements anglais prirent terre à l'île d'Orléans.

Le bombardement commença le 13 juillet et dura presque sans arrêt jusqu'au 5 août. Durant cette période, une vingtaine de milliers de boulets et de bombes tombèrent sur la ville.

Entre-temps, Wolfe envoyait des soldats dans les campagnes avoisinantes : « On brûlait les maisons, on brûlait les granges, on enlevait les bestiaux et on emportait toutes les provisions de grains et de viande faites pour l'hiver. Un officier anglais évaluait à pas moins de 1 400 belles fermes le chiffre des destructions opérées par les soldats de Wolfe aux abords du Saint-Laurent. Les églises furent respectées » (Claude de Bonnault).

Mais les semaines passaient sans amener de progrès. Retranché sur la côte, Montcalm attendait, sans bouger, que l'ennemi prît l'initiative. Wolfe, à la tête de 2 000 hommes, essaya, le 31 juillet, de percer les lignes françaises, près de Montmorency. Il dut battre en retraite, laissant 500 morts sur la grève. Murray, envoyé en haut de Québec pour opérer une descente, fut également repoussé par Bougainville.

C'est presque un mourant qui dirigeait les opérations contre la Nouvelle-France. Wolfe n'avait que 32 ans ; il était miné par la tuberculose et il savait que ses jours étaient comptés. Il mettait le reste de ses forces au service de sa patrie et redoutait par-dessus tout de ne pouvoir tenir jusqu'à la victoire. Il passa une partie du mois d'août alité ; au début de septembre, le commandant de la flotte le prévint qu'il faudrait appareiller pour le 20 septembre et se résigner à un humiliant échec.

Montcalm va vers la défaite et vers la mort.

Wolfe ne pouvait consentir à lever le siège sans tenter un effort suprême. Puisqu'il n'y avait pas moyen de percer les défenses françaises en aval, il opta pour une descente surprise en amont de la ville. On lui avait appris l'existence d'un sentier escaladant la falaise à l'Anse-au-Foulon, près de Sillery. Au cours de la nuit du 12 au 13 septembre, il réussit l'exploit inexplicable, sauf peut-être par des trahisons, de faire passer 4 800 hommes sans que les sentinelles en eussent connaissance.

À 6 heures du matin, les Québécois apprennent avec stupeur que les troupes de Wolfe sont rangées en formation de combat sur les plaines d'Abraham. Trente minutes plus tard, Montcalm est averti. Il tient rapidement conseil et il décide d'attaquer immédiatement ; il eut mieux valu se retrancher dans Québec, soutenir le siège jusqu'au départ des vaisseaux, qui ne pouvaient courir le risque de se laisser emprisonner par la glace. Mais l'impétueux Montcalm en jugea autrement.

Le combat s'engagea à 10 heures ; il dura quinze minutes. Wolfe fut tué au cours de la brève bataille et Montcalm, blessé grièvement, mourut le lendemain. Les troupes françaises avaient fui dans le plus grand désordre.

Cinq jours plus tard, le 18 septembre, Québec capitula sans attendre l'arrivée des troupes de Lévis et de Bourlamaque qui accouraient en hâte, et qui n'étaient qu'à trois-quarts de lieue de la ville lorsque les portes en furent ouvertes aux vainqueurs.

ULTIME ET INUTILE VICTOIRE

Lévis devenait le chef des armées canadiennes. Il avait plus de pondération et meilleur jugement que Montcalm. Il notifia le roi qu'il lui fallait 10 000 hommes de renfort avant la fin de mai 1760, sans quoi la perte du Canada serait inévitable. Il passa l'hiver à préparer la reprise de la Capitale dès le retour du printemps.

Le 27 avril, avec 3 800 hommes amenés de ses quartiers de Montréal, Lévis est aux portes de Québec. Murray, qui y commande, commet l'erreur d'engager la bataille en terrain ouvert, au lieu d'attendre derrière les solides remparts. L'engagement fut meurtrier : 1 200 morts chez les Anglais, 900 dans les troupes victorieuses de Lévis.

Le commandant français commence sans retard les travaux d'investissement de la ville. Si les secours demandés en France arrivent à temps, Murray n'aura qu'à se rendre. De part et d'autre, on fouille l'horizon avec anxiété. Le 9 mai, on aperçoit un voilier. Hélas ! il porte les couleurs anglaises. C'est l'avant-garde de la flotte chargée de compléter la conquête du Canada. Tristement, Lévis lève le siège et se replie vers Montréal.

LE RIDEAU TOMBE

Trois corps d'armée convergèrent sur Montréal qu'ils encerclèrent au début de septembre. Les forces françaises sont réduites à quelque 2 000 hommes. Ce serait folie de vouloir résister à une armée de 20 000 soldats bien équipés. Lévis et Bourlamaque voulaient combattre jusqu'à la mort. Vaudreuil refusa. Il signa, le 8 septembre, l'acte de capitulation, comportant 55 articles. Amherst garantissait, avec certaines restrictions, la liberté religieuse, l'usage de la langue française, la possession des biens meubles et immeubles.

La France reviendra-t-elle ?

(*1760-1763*) La capitulation de Montréal ne scellait pas définitivement le sort de la colonie. La guerre se poursuivait en Europe entre l'Angleterre et la France. Les Canadiens espéraient que Louis XV réclamerait le retour de la Nouvelle-France, lors de la signature de la paix. Vain espoir. À la fin de la guerre de Sept-Ans, le traité de Paris (1763) céda la Nouvelle-France à l'Angleterre.

TRISTE AUTOMNE 1760

LA capitulation du 8 septembre 1760 ne surprit personne. On savait la triste échéance inévitable. À la mi-juillet, une flotte de 35 voiles, commandée par James Murray, avait remonté lentement le fleuve, opérant des descentes en cours de route, recevant la soumission des villages riverains. Du 6 au 12 août, l'escadre avait croisé dans les eaux trifluviennes, sans même se soucier du poste des Trois-Rivières, « capitale insignifiante de ce gouvernement tant vanté ».

Au cours des semaines qui suivirent la capitulation, le cortège des vaisseaux refit la lugubre promenade en sens inverse, amenant les soldats, les officiers et les fonctionnaires français, forcés de quitter la colonie en vertu des clauses de la capitulation.

Les trois centres administratifs de la Nouvelle-France perdaient leurs dirigeants. Québec, Trois-Rivières et Montréal mirent des mois à se ressaisir.

Pour leur part, les campagnards accueillirent avec soulagement la fin des hostilités. La guerre était finie ; on pouvait enfin recommencer à vivre normalement. Les curés et les seigneurs restaient à leur poste ; c'était l'essentiel. Les fermes étaient dévastées, les terres en friche, le bétail rare et les approvisionnements d'hiver réduits à presque rien, mais on n'avait plus à redouter les canonnades, les irruptions soudaines de soldats, les réquisitions d'hommes et de bétail, etc. . . . On était soulagé et débarrassé. L'avenir apparaissait meilleur.

ATTITUDE RASSURANTE

Quinze jours après la capitulation, Amherst fit afficher une proclamation assurant aux vaincus la protection des autorités et promettant qu'ils « jouiront des mêmes privilèges que les anciens sujets du roi » s'ils se conforment aux ordres.

Le général Amherst maintenait en service la plupart des capitaines de milice et leur confiait le règlement des litiges mineurs ; les troupes recevaient ordre de payer tous leurs achats « en argent comptant et espèces sonnantes » ; les Canadiens employés à divers travaux ou transports devaient être payés aussi en espèces sonnantes.

Les anciennes divisions administratives furent conservées. Amherst nomma James Murray gouverneur à Québec ; Ralph Burton fut désigné pour Trois-Rivières et Thomas Gage, pour Montréal.

Amherst partit ensuite pour New-York laissant à Murray la direction du Canada. James Murray, gentilhomme écossais, avait admiré le courage des Canadiens sur les champs de bataille. Il montra à leur égard beaucoup d'humanité et de bienveillance, s'appliquant à les secourir et à diminuer les amertumes de l'occupation étrangère.

ÉGLISE SANS CHEF

Un malheur aussi inquiétant que la défaite militaire s'était abattu sur la colonie en 1760. Mᵍʳ de Pontbriand était décédé à Montréal, le 8 juin, alors que la colonie agonisait. Au cours du mois de février précédent, il avait adressé à la population un mandement pathétique, la suppliant de rester calme, de se conformer aux volontés divines, d'adopter une attitude prudente à l'égard de ceux qui allaient inévitablement devenir les maîtres du pays.

Mᵍʳ de Pontbriand avait bien servi l'Église canadienne au cours de ses dix-neuf années d'épiscopat. Une centaine d'ordinations avaient porté à 196 le nombre des prêtres, au début de 1759. 88 paroisses possédaient des curés. Six communautés féminines assuraient le soin des malades, des abandonnés, et dispensaient l'éducation chrétienne.

Mais qu'allait devenir l'Église canadienne ? En attendant, trois vicaires généraux en assurèrent la direction : l'abbé Briand à Québec ; l'abbé J.-F. Perreault, aux Trois-Rivières, et l'abbé Étienne de Mongolfier, sulpicien, à Montréal.

Adieux à la France qui s'en va.

À QUI RESTERA LA NOUVELLE-FRANCE

En Angleterre, les esprits étaient partagés au sujet du Canada. Déjà, en 1760, James Murray avait laissé entendre qu'il serait impolitique de ne pas restituer le Canada à la France : « Si nous sommes sages nous ne le garderons pas. Il faut que la Nouvelle-Angleterre ait un frein à ronger et nous lui en donnerons un qui l'occupera en ne gardant pas ce pays-ci.» En offrant ses vœux de bon voyage au général de Lévis qui l'avait battu à Sainte-Foy, Murray lui dit galamment que l'Angleterre « consentirait sans doute à rendre le Canada à la France, à condition qu'on n'y enverrait pas pour gouverneur général Monsieur de Lévis, vu qu'elle ne pourrait pas le reprendre. »

Jusqu'à la fin, les Canadiens s'obstinèrent à espérer le retour de la France.

L'ANGLETERRE GARDE SA PRISE

Quand les négociations de paix furent entamées en Europe, « l'équilibre américain » trouva des partisans. Mais le madré Benjamin Franklin, le physicien-philosophe de Boston, veillait. Il combattit cette attitude qui risquait de sacrifier les colonies américaines et d'en faire les vaincues de la guerre.

William Pitt réclama énergiquement le Canada comme butin de guerre et il résista à toutes les pressions des plénipotentiaires français. Rendons justice à Louis XV et à son ministre Choiseul ; ils ont lutté jusqu'au bout pour conserver le Canada. Un moment, ils crurent que l'Angleterre accepterait la Guadeloupe en échange, mais l'Angleterre exigea toutes les îles à sucre des Antilles. Le sacrifice parut trop lourd. Le traité, signé le 10 février 1763 à Paris, céda à l'Angleterre le Canada avec toutes ses dépendances.

De son empire d'Amérique, la France conserva les îles Saint-Pierre et Miquelon, la Guadeloupe, la Martinique, Marie-Galante, la Désidérade. La rive gauche du Mississipi et la Nouvelle-Orléans avaient été cédées secrètement à l'Espagne en 1762.

La France est partie. Les Canadiens restent. Neuve-France continue.

Neuve-France continue.

TABLE DES CARTES

TABLE DES MATIÈRES

NEUVE FRANCE

«Fondateurs»

de

L'ÉGLISE DU CANADA

Mgr François de Montmorency-Laval
(1623-1708)

Mère Marie de l'Incarnation
(1599-1672)

Mère Marguerite Bourgeoys
(1620-1700)

Mère Catherine de Saint-Augustin
(1632-1668)

Mère Marguerite d'Youville
(1701-1771)

Jeanne Mance
(1606-1673)

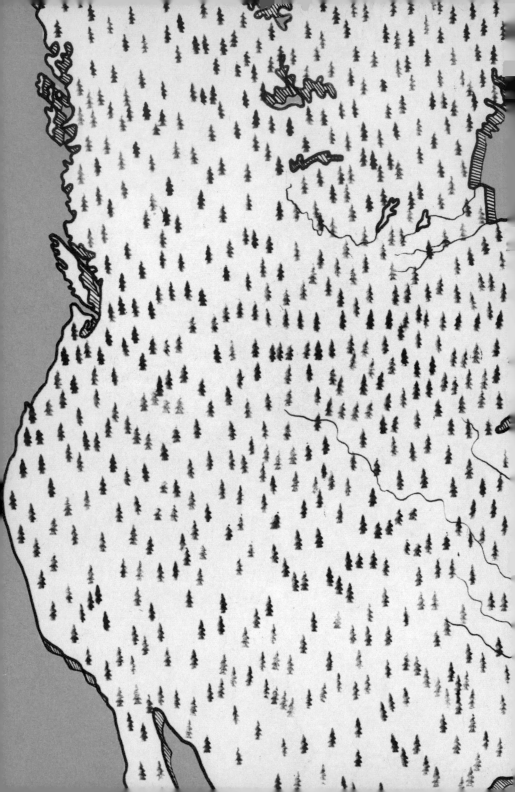